JN101488

最初の晩餐

常盤司郎

当時つき合っていた彼女から「最初に食べた料理って何か覚えてる？」と唐突に訊かれた。

おれは彼女がいう言葉の意味がわからず「そんなの覚えてるわけないよ」と笑いながら答えた。街道沿いのファミリーレストランで軽い晩飯を食べたあと、彼女が三杯目のコーヒーをお代わりして戻ってきたときに口にした言葉だった。

フリードリンクコーナーのそばにあるテーブルでは子連れの家族が団欒を楽しむ姿が見えた。よくよく考えてみると彼女の話には「家族で」という言葉がすっぽりと抜け落ちていて、さらにその家族とは、再婚した父がつくった「新しい家族」のことを指していたのだと、別の話題に変わったあとに気づいた。けれどそんな話を今さら蒸し返されたくもなかったから、おれは忘れたふりをしてさらに別の話題をふり、彼女もとくに話を蒸し返すことはしなかった。

それから一年ほどでその彼女とはお別れした。

最後に一緒に食事をしたのは、彼女の実家に無理やり連れていかれた日。その帰りに立ち寄った、高速のパーキングエリアで食べた、クソまずいラーメンだった気がする。

*

じゅるる、ずずっ。湿っぽい音がした。

麺を箸でつかむ前から嫌な予感はしていた。出てきたばかりのラーメンなのに湯気もなく、器を持ってきた店員の置き方もどこか投げやりだった。

鱗太郎はその不満をテーブルの向かいに座る姉にぶつけた。

「なんでココなの」

「なんでって、ほかに選択肢なかろうが」

「だからってさ」と、麺をつかむ。「これ、ほら。ふやけてるし」

「あんたが来るの遅いからやろ」

「しかたないじゃん。連絡来たの夕方だよ」

「じゃん、とかあんた。ほんっと東京にカブれちょるね」

「うるさいな。いつの時代の話だよ」

舌打ちをし、渋々麺の束を口に入れると、麟太郎は客のいない食堂にわざと響くように啜った。

閉店間際の病院の食堂は薄暗く閑散としていた。店員は器を持ってきた小太りの中年女性一人しか見当たらず、やけに耳障りな音をたてながら、客のいないテーブルから醤油と胡椒の小瓶をトレイに回収し続けていた。

救急車の音がまた聞こえる。

同時に食堂の奥の廊下から、看護師たちの慌ただしい足音が聞こえてきた。

その流れに逆らいながら、点滴をぶらさげた老人が他人事のようにふらふらと歩く姿を見て、麟太郎はのびきった麺を揺らしながら「やっぱまずい。病人の飯だわ、これ」と呟いた。

「そういえばさ。あんた知っとる、ボーリング場つぶれたの?」

向かいに座る美也子が胡椒を手に取り、おもいきり器に振った。

「はぁ？　バイパス沿いの？」

「そう、栄町のプラザボウル」

「え、マジで。じゃ何にも娯楽ないじゃん、この町」

「あるやろたくさん、パチンコ屋」

「あのさぁ。この町じゃ娯楽でも、よそだとギャンブルだからね」

美也子は半笑いで箸を動かす弟に顔をしかめ、

「ほんと、A型やね」と吐きすてた。

そしておおげさに麵を啜ると、またたわいもない会話を続けた。


麟太郎が姉と二人だけで飯を食べるのは、いつ以来だったか。もう記憶にないくらい昔だったはずだ。

四つ年上の美也子が結婚したとき麟太郎は二十歳だったが、もう既に福岡から上京し、神奈川との県境にある蒲田（かまた）の写真専門学校に通っていた。だから、と言うわけでもないが、麟太郎がそれを知ったのは姉が家を出て随分経ってからだった。

美也子は式を挙げることもなく、後ろ髪を引かれる様子もなく家を出たらしく、麟太郎も二年に一度くらい、御座（おざ）なりのように帰省するだけだったから、すぐには気がつかなかった。けれど今日まで姉にその話題を振ることはない。

なんとなく気持ちはわかる気がしたからだ。

そうして二十七歳になった麟太郎が、盆でも正月でもない、初夏のこの時期に、この場所にいるのは、父の危篤を知らされたからだった。


「あのねぇ、もう閉めちゃいますよ」

厨房から店員の声がした。時計は九時を二分だけ回っている。

二人とも顔を見合わせ、手を止めた。

まじで田舎者だな、と喉元まで出かかったが、それは堪え、麟太郎はかわりに脂ぎったチャーシューを口に押し込み、ポケットから財布を取り出した。

「姉ちゃん、細かいのある?」

「あ、いい。お母さんからもらったから」

姉のその一言に「こんなときだけお母さんかよ」と苦笑いする。

「いいんじゃない、別に」

美也子は聞き流しながら箸を置き、立ち上がった。

病室に続く廊下へ向かって歩きながら、麟太郎は思い出したように、

「あのラーメンなら姉ちゃんのやつの方がマシだよな」と言った。

けれど美也子は、

「あんたに作ったことなかろうが」と弟を見ることなく呟いた。

麟太郎は姉の横顔を覗き込みながら、そうだっけ、と笑ったが、彼女はその問いに答えることなく、足音だけを廊下に響かせていった。


麟太郎と美也子の父親が息を引き取ったのは、それから数時間後——。

東(あずま) 日登志(ひとし)が六十五歳になる直前の、夏至の日の明け方だった。

*

仄暗(ほのぐら)い朝の光がかろうじて差し込む部屋の、病床に横たわる男の周りに、数人が立ちすくんでいる。誰も声を発する者はいない。医者が腕時計を見て、静かに家族に刻(とき)を告げた。

麟太郎は、父の痩せ細った顔を見つめた。後ろで親戚のおばさんが涙まじりに父の名を呼んだが、微動だにせずに亡骸(なきがら)を見つめ続けていた。

静かに揺れるカーテンの隙間から、鳥の鳴き声と、朝の音が迷い込む。

そしてさほど時間も経たないうちに、父の亡骸は、病院の裏口から葬儀業者の車に運び出されていった。

フロントガラスに反射する光、その隙間から亡骸を乗せた業者の車が見えた。

麟太郎は姉の運転するファミリーカーの助手席で、流れるバイパス沿いの景色を眺めていた。スムーズに流れる下り車線とは対照的に、逆側の上り車線は朝の通勤者たちの車がスローペースで歩くように進む。

車輌が駅前の信用金庫を通り過ぎ、大型のドラッグストアを通り過ぎ、「栄町」と記された信号機に差しかかったとき、古びた、巨大なボーリングのピンが視界に飛び込んできた。

「親父、うまかったよな。ボーリング」

廃墟になったボーリング場を見ながら、麟太郎が言った。

「そうやね」と美也子が呟く。

「あと、何が得意だったっけ」

「何やったろうね……」

麟太郎は姉の顔に目をやる。いつもは意志を曲げることのない黒目が、わずかに潤(うる)んで見える。半開きの窓から会話に割って入った風が、うわの空でハンドルを握る美也子の長い髪の毛を揺らした。

　気がつくと、窓外の景色は「売地」の看板が立つ荒廃した更地に変わっていた。

　そこから二十分ほど走った場所に一本の古い橋がある。

　その橋の手前には「日向橋（ひなたばし）前」と書かれた小さなバス停があった。

　バス停といっても雨を避けられる屋根などはなく、発着の時刻を示す古びた看板だけが、壊れそうなベンチとセットで置かれていた。ただそこには樹齢が百年は超えるであろう立派な桜の木が一本根を張っており、行き交う人たちの足を止めた。そして日向橋を渡り、長い坂道を登りきったところに、麟太郎の育った家はあった。

　二人の乗った車が生け垣を通り抜けると、もう既に、黒と白の鯨幕（くじらまく）が張られていて、玄関の「東」の表札の前を、葬式の花を運ぶ業者や親戚たちがせわしなく行き交っていた。

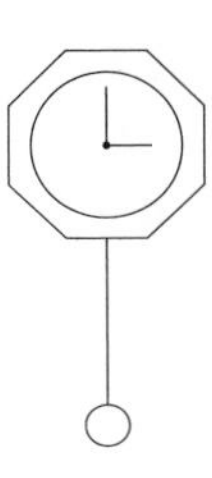

この家の座敷に昔からある古時計が、午後三時をどこか懐かしい音色で知らせた。

けれどその余韻は縁側からの声でかき消された。

「――三岡さん、それ、話違いませんか?」

麟太郎は語気を荒げて言った。

「今回のっておれが本命でしょ?　コンペなんて初耳ですよ」

「最初はね、最初はそうだよ。そう言ってたけど。クライアントがさぁ」

電話越しの三岡がクライアントのせいにしたことに内心腹が立ったが、麟太郎は携帯を握り直し、気持ちを落ちつけようとした。

「あの三岡さん、たしか担当者も気に入ってるって言ってませんでしたか？」

「その担当者がね、さっき急に他のカメラマンも見たいって電話してきてさ。だから、しかたないでしょ、そう言われたらこっちだって候補出すしかないんだもの」

姉の子供たちが仏間から廊下に飛び出し、麟太郎の脇をかすめると、きゃっと奇声をあげて走り抜けている。その声がさらに彼を苛立たせた。

「もちろんわかりますけど、ただ最初に——」

「あのさ、麟太郎くん」

三岡の声がうんざりした口調に変わる。

「これ、広告なの。広告のポスター写真。きみの作品じゃないでしょ？　大体、麟太郎くん、ピンになってどのくらいになるよ。二年でしょ、二年。いい加減そこら辺の事情、わからなきゃ駄目でしょうが」

「それは——」と言いかけたとき玄関でガシャリと弾けるような音がし、直後に子供の泣き声が聞こえた。どうやら壺を割ってしまったようだ。

「ちょっと大輔、美姫、あんたら何しよん」

美也子が、泣き声より大きな声を家中に響かせた。

タイミングを探っていた三岡が「とにかくさ麟太郎くん、結果は今日中に出るはずだから、ね」と言い残し、そのまま通話は途切れた。

「もしもし。もしもし？」

麟太郎は携帯電話を耳にあてたまま舌打ちした。そして玄関を苦い顔で覗き込んだあと、観念したように縁側に腰を下ろし、煙草を取り出した。


夕方からおこなわれる東家の通夜に向けた準備には、もう何となくの役割分担ができはじめていた。

庭先で受付の場所を確保する者、座敷の襖（ふすま）を外し来客スペースをこしらえる者、早めに来た弔問客を亡骸のある仏間に案内する者。そして玄関の靴箱近くでは、美也子の夫の康介が、割れた壺の破片を無言のまま拾い集めていた。

そんな夫に構うことなく座敷の片隅で美也子が、伯父の善男にビールをそそぎながら陽気に話し込んでいる。

「善男さんさぁ、しばらくせんうちに、また老けたんやない」

「どこがね。まだ三十代に間違われるやろ」

善男は薄い頭をペチリとなでて、大きく通る声で笑った。

「それよか美也ちゃん大丈夫ね？　旦那さん放ったらかしにして」

「ああ、大丈夫、大丈夫」

と言いながらビールをつぎ足し、小声で笑う。

「こないだなんて、あんまりうるさいけん離婚するって言うてやった」

すると善男が「ヒドいねぇ、ウチのと一緒」と毒づいた。

親戚の中でも、美也子と善男はとくに気が合った。

昔からこういった集まりがあると、自然とこの二人が隣に座り、酒を飲んだ。

「そういえば麟太郎くん。写真の方は、うまくいっとるんね？」

「ああ、どうなんやろ。そこそこやないの」

「やっぱりあれかねぇ、お父さん譲りやろ。日登志さんも山に行ったときはいっつも写真ばっかり撮ってたからね」

「ああ、そうなんだ」と美也子が言った。

善男はそのそっけない答えに、親子なんてそんなもんだ、とわざと嘆いてみせた。

縁側であぐらをかく麟太郎にも二人の話は聞こえていたが、三岡との不消化な会話がうまく吐き出せない煙のように、心の奥にとどまり続けていた。

麟太郎はリュックを雑に開け、スチルカメラを取り出した。そして昨日スタジオで撮影した写真を小さなモニターで見返した。短くなった煙草をくわえ、背を丸めたまま手際よくダイヤルを回すと、色違いの女性もののブラウスがパラパラ漫画のようにモニターに映し出される。その写真を無表情に眺めた。

アシスタントを卒業し、麟太郎がフリーのカメラマンになってからの二年間、ほとんどが先輩からのご祝儀仕事のカタログ撮影か、結婚式場での新郎新婦の記念撮影ばかりだった。そんな中、アシスタント時代から世話になっていた広告代理店の三岡が、大手アパレルブランドのメインポスターのカメラマンとして推薦してくれたのだが、それも今は風向きがわるいようだった。

「なんか麟太郎、こげんとこで油売って」

ふいに声をかけられた麟太郎の手が止まる。

声の主は見なくてもわかる。父の兄、洋一だ。黒のべっ甲眼鏡をかけた伯父が、喪服の内ポケットからマイルドセブンを取り出し、隣に座った。

庭の片隅に植えられた梅の枝が、激しい音を鳴らして揺れたあと、生け垣の植え込みにその音がつたった。それを見ながら洋一が「こりゃあ、今夜でかいのが来そうだな」と、独り言のように呟いた。そういえばさっき座敷のテレビから台風の情報が流れていた。漁師が天候を予測するような話しぶりだったが、きっとテレビの受け売りだ。

「東京やったら来んやろな、こんな凄いヤツは」となぜか自慢げに言う。

「どうでしょう。最近はどこも、変な天気ですからね」

「ああ、そうね」と今度は不満げに言った。

風はひとしきり木々を揺らし、なにも言わずに立ち去った。

麟太郎はカメラの電源を切りながら、庭先にあったはずの池が埋められていることに気づいた。父がいつ埋めたのか考えてみたが、まるで思い出せない。一昨年の正月に帰ったときもほとんど友人の集まりなどに参加していたから、池のことなどまったく気にしていなかった。

「うまくいっとるんか、仕事は」

また洋一が話しかけてきた。

「いちおは」

「不安定な商売やろが。いつまでも夢ばっかり追わんと」

「……」

そんな話になるな、とは思っていたが、会えば同じ話をする伯父に嫌気がさした。

洋一は日登志の五歳上の兄だ。

日登志は三人きょうだいの末っ子で、今そこで通夜の準備を切り盛りしている二つ上の信子が姉にいる。日登志は昔から信子とは仲が良かったが、洋一とはどうにも反りが合わず、会えば衝突ばかりしていた。だからなのか、息子の麟太郎に対してもひどく手厳しかった。洋一はカメラマンという職業にどこか醜悪なイメージを持っており、不安定な商売、ヤクザな商売、といつも散々な言いようだった。

座敷から美也子と善男の甲高い笑い声が聞こえる。

その声も洋一の癇にさわったらしかった。

「なんだ美也子も。お前ら、しっかりやっとんのか？」

「まあ」

「そうやのうても普通の家庭と違うやろうが。ちゃんとせんと」

麟太郎は、洋一のその言葉に眉間を寄せた。

そして口を開こうとした瞬間、美也子に大声で呼ばれた。

「麟太郎こっち来んね、こっち。善男さんがほら、写真教えてくれって」

ほどよく酔った姉が善男の手を持ち、招き猫のように振っている。それを見た麟太郎は苦笑いし、煙草を足元の灰皿に捨てながら、重い腰を上げた。

「なに、姉ちゃん。飲んでんの？」

「ほんのちょっとよ。善男さんにつき合わされとるの」

「ほら、ここ座って麟太郎くん。ほらほら」

善男が体をずらして甥を座らせ、空いたグラスにビールをそそぐと、

「どうね、あっちの方は」と小指を立てて笑った。

「いやぁ、まあ」

「そうねそうね。で、結婚は？　せんとね」

「いや、別に。なんにも考えてないっすよ」

生返事をこぼしながら、麟太郎はグラスに口をつけた。

「ね、これでしょ。善男さん、言ってやってよ」

「麟太郎くん、男はちゃんと家庭をつくらんと。日登志さんもそりゃあ色々あったけど、最後はほら、立派な家族をつくったろうが、なっ」

「はあ」

「しかも、こいつの彼女、あたしより年上みたいやし」

「ちょっと、余計なこと言うなって」

麟太郎は顔をゆがめ、ビールを喉に流し込んだ。

小畑理恵とはつき合って丸二年になる。

小ぶりな出版社に勤務している理恵とは、雑誌の取材で出会った。撮影当日の朝、指定された商品と異なったものがメーカーから届き、現場が軽いパニックになった。にもかかわらず彼女はそつなく対処し、何事もなかったかのように涼しい顔で仕事を再開させた。感情の起伏が激しい人々に囲まれて育った麟太郎には、そんな彼女の冷静な対応が冷たく映っていた。そして自分と似ているとも感じた。だから彼女のことを「人を受け入れるのに時間のかかるタイプ」なのだろうと思った。けれど二ヶ月のうち、まったく別の取材に立て続けで一緒になり、三度目に会ったときに彼女は初めて麟太郎に笑顔を見せる。それは、ふとしたやり取りの中で生まれた自然な表情で、麟太郎はその日の取材終わりに、御茶ノ水にあるイタリアンバルに理恵を誘った。カウンターに横並びで座り、彼女の口元にできる小さなくぼみを時折眺めながら話をした。

その夜はなかなか話が尽きなかった。それは麟太郎にとって珍しいことだった。いつもより多くの酒を飲み、多くの話をした。とりわけ彼女のはっきりとした話しぶりや熱をおびたときに見せる強い目に、麟太郎は惹かれた。つき合ってみると最初の印象とは異なり、とくに人を拒むタイプではなかった。

そうしてつき合って二年が経過し、とくに大きな喧嘩をすることもなかったが、このところ麟太郎は彼女に対して、居心地のわるさを感じはじめていた。原因はわかっている。

次の盆休みに、宮城の実家に一緒に来てもらいたいと、お誘いを受けたからだ。これまで互いの生活スタイルを尊重する、という名目で同棲は選択しておらず、もちろん理恵の家族ともまだ会ったことはなかった。

座卓に置かれたビールは飲みほされてしまった。赤ら顔の善男がきょろきょろと何かを探している。それを見て麟太郎は鼻を鳴らして小さく笑ったが、善男の口から出たのは酒の話ではなかった。


「そういえばアキコさん、どこにおるとね?」

「え、母ですか?」

「そう。アキコさんよ。さっきから全然見かけんけど、どこ行ったとやか?」

「さあねぇ。その辺で忙しくしとるんじゃない」

美也子が棘(とげ)のある口調で言った。

「なんでよ。アキコさんも一緒に一杯やらんとぉ」

空のビール瓶を振りながら善男は喪主を探した。

すると信子が善男のそばに駆け寄り、「ちょっとお父さん、飲みすぎ。まだお通夜もはじまってなかろうが」と夫の手を引き、慌ただしく隣の部屋に連れ出した。

その様子に腹を抱えて笑う姉を見て、麟太郎もつられて口角を上げた。

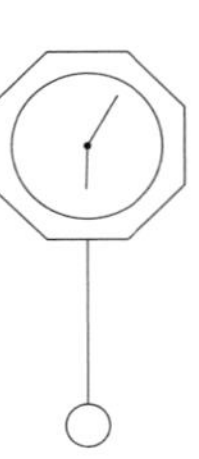

若坊主が唱えはじめたお経は驚くほどたどたどしく、遅刻してきた弔問客も苦笑いするしかなかった。
東家では、さっきまで小宴会がおこなわれていたテーブルもすっかり片づけられ、襖を取っ払った二間の座敷が一つの広間となっていた。広間は正座した多くの弔問客で埋め尽くされている。およそ五十人近くいるだろうか。その最前列に座る麟太郎がお経を読み上げる二十代の坊主を、どこか心の入らない表情で見つめていた。
「ねえ」
隣から美也子が小声で話しかける。

「ねえ、って」

「なに」

美也子は弟の耳元に、そっと顔を寄せた。

「さっきね。信子おばさんから聞いたんよ」

「は？」

「台所にほら。あの人、籠もっとったろ」

「さあ」

あの人とは義理の母のことだ。喪服を慎ましく纏い、髪を結い上げた母が、通夜の喪主として坊主のそばで気丈に座っている。

「――籠もっとったんよ、台所に。それでね、見とったらしいんよ」

「見てた。何を？」

「それがね」と喋り続ける美也子の肩を、後ろに座る康介がゆさぶった。

美也子は苛立ちを隠さず「なんね？」と言う。

夫は「あっち」と指さす。

美也子が、あっち、に目をやると最後列からへらへらと、こっち、を見る男の姿が見える。

「誰?」

「ああ、同級生」

男は意味ありげに会釈したが、美也子は相手にせず、「それでね」と話を続けた。

「あの人、台所で黙り込みながら、じーっと見とったらしいんよ」

「……」麟太郎は姉の話を聞いた。

「ドラマとかに出てくる立派な封筒で、それが封を切られたままテーブルに置かれてて、で、読んどった便箋には達筆な字でぎっしり文字が書かれとったって」と息継ぎすることなく喋ると、美也子は感心したように「きっと筆文字やね。パパってああ見えて、字とか結構うまかったからね」と言った。

麟太郎は姉の長い話を組み立てようとしたがうまくはいかず、

「はぁ?」と首を傾(かし)げた。

「はぁ、じゃなくて」

勘の鈍い弟に苛立ち、耳元で呟く。

「遺言書やろ、きっと」

「ああ、遺言書——」

麟太郎はつかえが取れたようにパチンと手を鳴らした。

ぴたりと坊主のお経が止まる。そして視線が一気に麟太郎に集まった。

「あんたさ」と顔を押さえながら、美也子は弟を小突いた。

なんとかお経は再開するが、若坊主の顔はあきらかにひきつっている。リズムのくずれた念仏が響き渡る中、東家の広間ではさざ波のように囁く声が広がってゆく。けれど渦中のアキコだけは顔色も変えず、夫の遺影を見つめ続けていた。


若坊主の念仏が終わった頃、辺りには夏の夜気を含んだ風が吹きはじめていた。

チラチラと点滅する街灯の周りには羽虫たちが群がり、その中の小さな一匹が、香典を整理する男女の前を横切って、玄関から室内に忍び込んだ。羽虫は東家の広間をひとしきり旋回すると、脂汗をかきながら説法を続ける若坊主のデコに、ぴたりと止まった。

その瞬間を見ていた麟太郎はおもわず吹き出しそうになったが、内ポケットで小刻みに震える振動に気づき、急いで携帯電話を取り出した。

画面に表示されたのは「小畑理恵」の名前だった。

麟太郎はその表示を一瞥すると、何事もなかったように携帯を元の位置にしまった。


東家の玄関口が賑わいはじめた。

次々と出てくる弔問客が、見送る喪主に思い思いの言葉を伝え、この家をあとにした。

そんな喧騒から少し離れた庭先に、美也子と同級生の拓二がいた。

「あのぉ美也ちゃん、何ちゅうか。このたびはご愁傷様で、お悔やみを」

「あんた、何しに来たとよ」

美也子が無愛想に言う。

「いやぁ、こげんことになって色々と大変やろうから」

「そりゃ大変に決まっとろうが」

「あの、力になれることあったら、何でも」

「だったら、そろそろ帰って、な」

「いや、でも」

軒下から康介が二人のやり取りを疑わしそうに覗いている。

それに気づいた美也子が、

「あんたね、何考えとるの?」と小声で言った。

「いや、何ってこないだ……」

「同窓会やろ?」

「そ、そう、同窓会のあとで」と笑う。

美也子は肩をすくめると、フッと息を吐き、乾いた口調で言った。

「酔っぱらっとっただけやろ」

「えっ」

「なんかねぇ。そんな本気になられてもさぁ」

拓二の表情がスッと変わり、

「ほ、本気になられてもって」と声を荒げた。

けれど美也子は艶っぽい笑みを浮かべ、「――拓二くんもほら。誰か良い人見つけて結婚せんと、おばさんが心配するやろ、ね」と言い、彼の肩にポンと触れると、ごった返す弔問客の中から知り合いを見つけ、駆け寄っていった。


薄暗い、二階へ続く階段の途中に、麟太郎は腰を下ろしていた。

「……お通夜は?」

携帯から、理恵の声がする。

「ん、まあ。いまさっき終わったところ」

「お疲れさま」

「あ、うん」

麟太郎は気のない返事をした。

弔問客のいなくなった階下ではこれからはじまる親族だけの食事に向けて、一旦片づけたテーブルを元に戻したり、瓶ビールとグラスを運んだりと、先刻までとは異なる喧騒に変わっていた。

「あの」

「ん？」

「私も手伝えることないかな？」

「ああ、大丈夫、大丈夫。親戚のおばさんとかやたら張りきっててさ。急に来てもあの人たちの輪に入るの、結構大変だと思うし。逆に理恵に迷惑かけちゃうでしょ」

「そうかな」

「けどさ、何でだろうね。こんなときだけ異常にテキパキ働いててさ。仕切んなきゃ、みたいな感じで。そういうとこ、ほんとわずらわしくって苦手なんだよね」

「よく、わからないけど……」

電話口の理恵の声は重かった。

麟太郎は小さく咳き込み、座り直した。下の階が騒がしい。子供たちの弾けるような笑い声がここまで聞こえてくる。

「そういえばさ」

鱗太郎は広間を見下ろし、言葉を繋いだ。

「姉貴の子供。久しぶりに会ったら、かなりでかくなってたんだけどさ」

「うん」

「元気いいのはあれなんだけど、あいつらばたばた走り回ってさ。さっきなんて勝手に転んで、壺まで割って、ワンワン泣いちゃって。もう大変でさ――」

そして冗談めかすように言った。

「毎日あんな感じかねぇ、子供ってさ」

「……」理恵は答えなかった。

「どうかしたの？」

鱗太郎は尋ねるが理恵からの返事はなかった。広間の笑い声が廊下に移動する。姉の子供たちが、また調子づきだしたようだ。電話の向こうにいる彼女の表情がまるでわからない鱗太郎は、少しイラつき、意地悪を言ってみたくなった。

「なーんだよ。ツラいの、俺の方なんだけどなぁ」

「……ごめんなさい」

やっと言葉が返ってきた。鱗太郎はそのことに驚いた。

そしておもわず「冗談だから」と口走ってしまった。

「すごいね、麟太郎くん」

「え、なに？」

「こんなときにも、冗談、言えるんだね」

震えるような声がして、そのまま理恵の気配は途切れた。

「……ハア」

しばらく携帯の画面を見つめたが、すぐに無機質な暗がりが広がった。麟太郎はもう一度大きく息を吐き、冷たくなった携帯電話を内ポケットにしまった。

風の音がする。

麟太郎はふいにその音をたどり、体をひねらせた。

木造家屋にすきま風が迷い込みカタカタと窓ガラスを揺らす。光量のない二階の廊下は、目に馴染むのに時間が必要だったが、つきあたりに扉の閉められた部屋があることを、麟太郎は知っていた。

そこは父の部屋だった。

麟太郎は部屋の入り口まで歩いていき、ドアノブに手をかけたい衝動にかられた。

けれどその一歩を踏み出すことはできなかった。まだそこに入る資格がないように思えたからだ。

ゆっくりと腰を上げ、階段の軋(きし)む音を確かめながら、麟太郎は賑わう広間に戻っていった。

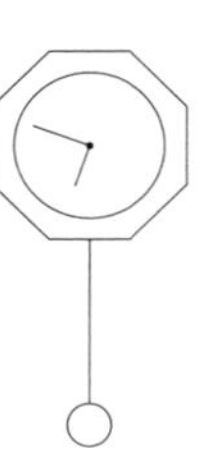

「キャンセルって、どういうことですかね？」

広間の賑わいをかき消すように、廊下から美也子の声が響く。

「そんなわけないでしょ。誰がわざわざお通夜の当日に、料理丸ごと」

縁側で煙草を吸っていた麟太郎がけだるそうに振り向いた。

姉がいつもに増して怒鳴っている。玄関に備え付けられたプッシュホンの相手は、どうやら仕出し屋のようだ。

「いやいやいや。困りましたって言われても、こっちの方がもっと困ったことになっとるでしょうが、とにかく食べるモンないとはじまらんからすぐ作って」

と言いかけたところで姉の顔色が変わり、

「はぁっ？　三時間⁉」とひときわ大きな声をあげた。

麟太郎がそっと近づき、聞き耳を立てる。

「三時間とかね、こっちはアンタとこの弁当が届かんからずっと待ってるわけでね、さすがに常識的に考えても――ちょっと？　ねえ？」

話の途中で電話は切られ、ただ機械的な音だけが繰り返されている。

収まりのつかない美也子は、

「あんた知っとったん」と投げるように受話器を置いた。

「そんなのおれが知るわけないっしょ」

「じゃあ何なんよ、これ」

「何なんって言われてもさ」

姉の癇癪(かんしゃく)に困り果てた頃、台所の戸が開き、母が顔を出した。

「あなたたち、どうかしたの？」

「料理が」

ふて腐れながら、美也子が答えた。

「なんかね。姉ちゃんが仕出し屋に電話したら、今夜の弁当、勝手にキャンセルされてたらしくって」

「あの仕出し屋の言うとることが、わけわからんっとよ」

それを聞きながら、アキコがゆるやかな笑みを浮かべた。

「ごめん、ごめん。伝えそこねてた」

「え？」美也子は戸惑う。

「お料理ね、私がキャンセルしたの」

「え、なんで？」

美也子が声をあげると、麟太郎もすかさず、

「だってあの人たち、待ってるし」と広間を指さした。

さっきまで弔問客で埋まっていた広間は、宴席の準備が整っていた。

八畳二間を繋げた座敷の奥に、故人の祭壇がそのままに置かれ、遺影が皆を見渡せるように長方形の座卓が二卓、中央に並べられている。残った親族は、故人の兄の洋一に、姉の信子、その夫の善男に息子夫婦、あとは美也子の家族四人と、若坊主という面々で、麟太郎と喪主アキコを含め、全員で十二人の近親者だけの集まりだった。

テーブルの上には瓶ビールにグラス、取り皿や箸など、必要なものはおおよそ並べられており、あと足りていないものといえば、通夜の日に親族で囲む「通夜ぶるまい」の料理

だけだった。

納得のいかない美也子が言葉を加えようとするが、それを遮(さえぎ)るように電気釜が音を鳴らし、同時にふくよかな香りが引き戸の向こうから漂ってきた。

「あら、もうすぐ炊けるわね」

「え、炊けるって?」

「今夜はね、私がお料理作るから。だから二人とも安心して」

「ちょっ、意味わからんから」

「美也ちゃん、もう少しだけ伯父さんたちに待っててもらって、ね」

アキコは言いたいことだけ伝えるとすっと戸を閉め、台所の奥に消えていった。

通夜ぶるまい、というのは、通夜が終わったあと、故人と最後の食事をするために酒食をふるまう儀式のことをいう。

かつては夜更けまでの大宴会になることも珍しくなかったが、最近では宴席の時間も大幅に短縮され一、二時間でさっと終わることも多くなった。それに伴い料理も簡素化し、仕出し弁当や寿司の出前などで済ますことが増えた。もちろん手作りをふるまうときもあるが、その場合、極力喪主に負担をかけぬよう親族や世話役が炊事場に立つことが慣例となっている。

とりわけこの地域では「習慣」や「慣習」を重んじる傾向が色濃くあり、そこから外れることに対するアレルギー反応はめっぽう強かった。決まりごとの枠から外れた行動は、決まりごとを重んじる者たちの心に発疹(ほっしん)を起こす。だがそれを掻(か)きむしるわけにもいかないので、かわりに口から、愚痴(ぐち)、悪態、を吐き出すことになる。この家での親戚たちの反応もおおよそ同じようなものだった。


「ところで美也ちゃん。アキコさんはどんな高級料理、準備しとるんね」

口をとがらせる美也子を、善男がからかった。

「さあ」

「大体、よその土地のモンやし。何考えとんのか」

台所の方を見て洋一がごねる。

「まあまあ義兄さん。田舎モンにはわからん、江戸前なおもてなしを準備しとるんでしょ」

「あんた、江戸前のおもてなし、知っとるとね?」

「いやぁ義兄さん。ぼくも田舎モンやから、知らんのですわ」

とぼけながら大袈裟(おおげさ)に笑う。

やがて台所の戸が開き、お盆を抱えたアキコが広間に入ってきた。

「おー、来た来た。もう腹ぺこったい」

囃（はや）すように善男が言うと、アキコに視線が向いた。

「みなさん、おまたせしました」

丁寧な口調で挨拶をし、祭壇の前にそっと座る。

そして軽く一礼したあと、持ってきた皿をテーブルに並べはじめた。

「アキコさん、これは?」

洋一が眼鏡をずらしながら首をひねる。他の親戚たちも、あきらかに戸惑っていた。

並べられたのは高級料理でもなく江戸前料理でもない。

それはただの〝目玉焼き〟だった。

「こりゃいったい、どういうことかね」

眼光鋭く、洋一が訊く。

けれど喪主はそんな洋一を見据え、きっぱりと答えた。

「主人の意向です――」

そして目玉焼きの皿を手渡しながら、

「お粗末な料理になりますが、どうぞ召し上がってください」と言葉を添えた。

「いや、でもねぇ。目玉焼きっちゅうのは、ちょっと」

善男が苦い表情で額を掻いた。けれど信子が夫を諭すように、

「いいじゃない。日登志ちゃんのご意向でしょ」と言い、配るのを手伝った。

「まあ、なぁ」

善男はしぶしぶ折れながら、傍らのグラスに手を伸ばした。長方形の皿にまるでお供物のようにおごそかに盛られた目玉焼きは、一同に行き渡ったようだ。

「ん？」

テーブルの隅で先に箸をつけていた麟太郎が首を傾げる。

「どうかしたね？」

善男が不思議そうな顔で訊く。

目の前に並べられた目玉焼きを眺めながら麟太郎が言葉を探していると、横から子供たちの声が飛んだ。

おいしー、と大輔が声をあげると続くように美姫も、ママ、これおいしいよ、と美也子を見て無邪気に笑う。やがて子供たちの声をきっかけに不満気な顔の大人たちも手を動かしはじめた。箸の進む音が広がってゆく。モグッと勢いよく口を動かす子供たちのそばで美也子も箸を握ったまま、あとわずかで晴れそうな霧の奥を注視するような目で、考え込

んでいる。

口を開いたのは麟太郎だった。

「あの、たしかコレって」

広間の視線が麟太郎に集まる。

「親父が初めておれたちに作ってくれた、料理です」

そう言うと、手元にある目玉焼きをじっと見つめた。

はじめはただのハムエッグに見えた。けれどそのカリカリとした食感と芳(こう)ばしい匂いが彼の記憶をゆさぶっていた。

斜陽の眩(まぶ)しさの中で誰かの広い背中が見える。

その背中は父だった。

料理などしたこともなかった父は、流しの上の棚からフライパンを取り出し、それをコンロに置いた。油をひくのが先だったのか火をつけるのが先だったのか、どっちだったかは思い出せない。けれどぎこちなくその動作をおこなった。

やがて父は誰かに呼ばれ、はたと手をとめる。

おれは父がどんな顔をしているのかが気になり、すこしだけ覗き込むように背筋をのばした。隣に座る姉はなんとなく不機嫌そうだった。そして向かいに座る兄はどことなくソワソワしていた。

そうだ――。

それは、おれが七歳の頃。初めて家族五人が顔を合わせた日の記憶だ。

目玉焼き

夏の日の午後。会話が途切れてずいぶん経った。

右隣に座る姉は、あきらかな敵意を対面する二人に向けていた。

青柳（あおやぎ）アキコと青柳シュンだ——。

父は「東家」と「青柳家」を仲裁するようにダイニングテーブルの真ん中の席に座っていたが、その表情はいままで見たことのないくらいこわばっていて、ひいき目に見ても仲裁人としては最悪だった。

そういえばこの日、父が座っていた椅子は、たしかぼくがもっともっと幼かったころに使っていたもので、背もたれが赤い合成革でできたその椅子からは、父の体が不自然にはみ出していた。だけどこの日の、この席配置は、その後も変わることはなく、父は子供用のちいさな椅子にずっと座り続けることになった。

父がぼくたちに紹介してくれたあたらしい母は、後ろに結んだ髪を揺らしながらなんとか笑おうとしていた。その隣に座っていたあたらしい兄は、少年漫画に出てくる寡黙な主人公みたいな顔で、きりりとした切れ長の目を誰とも合わせないようにしていた。

ぼくはなぜだか、この異様な状況がおもしろくなってしまった。

姉のほうを見てみた。

——沈黙。

あたらしい母と兄のほうを見てみた。

——沈黙。

しかたがないから、父を見てみた。

——沈黙。とあぶら汗。

ははは。これは、もう、目もあてられない。ぼくはとっさに顔をおおった。

だけどその一時間後。ぼくらは病院にいた。

父はベッドで横たわる母の手を、ぎこちなく握った。そんな姿をぼくら子供たちは病室の入り口からふくざつな気持ちで見つめていた。

「なんで我慢しとったんね」父が言った。

「ごめんごめん、ぜんぜん痛くなくって」母は痛そうに、笑った。

「えーとですね。検査結果ですが」と中年の医師が言い、カルテに顔を近づけた。「急性の虫垂炎。まあ、いわゆる盲腸ですね。とりあえず明日手術して、念のため一週間ほど入院してもらうことになると思いますよ」

チュウスイエンというむずかしい言葉を、ぼくは聞いたことがなかった。盲腸という言葉はぼくでも知っていた。

そして中年の医師はぼくらのほうを振り返った。

「きみたちも、ほら。お母さんのこと心配だったろう。そんなところから見てないで、こっちに入っておいで。さあ」と手招きした。

そう言われても、ぼくはどうしていいかわからず、姉に助けを求めようとしたが、姉のほうがもっとどうしていいかわからない顔をしていた。

何度も手招きする白衣のおじさんに申し訳なく思ったのか、いちばん後ろに立っていたシュンくんが、ぼくの視界を横ぎると、そのまま父と母のほうに歩いていった。まるで孝行息子のように。

その日の夕方、ぼくらはあたらしい母を病院におねがいして家に帰った。姉はひさしぶりにバイパス沿いのファミリーレストランに行きたいと言ってきかなかったが、父は「今日はおれが作るから」と意気込んだ。

父と姉は似ている。

二人とも一度言いはじめたら人の話は受け入れなくなってしまう。陽気だけど頑固な典型的な九州人だ。

それにしても、知らない土地に来たばかりのシュンくんは、どんな思いでこの日のやり取りを見ていたのだろう。彼がこの家に来たとき、たしか十六歳だったはずだ。中学のときにバスケをやっていたからなのか、身長は百七十五センチ近くもあった。きっと生まれ育った神奈川で普通の高校生活を送っていたはずなのに、そこから遠く離れた福岡の、さらに田舎の、こんな場所に連れてこられて。不安な気持ちだったのか？　案外楽しんでいたのか？　もしくはグレそうになっていたのか？　そこのところはわからない。でもぼくだったら、すくなくとも映画館も百貨店もなんにもないこんな田舎町には、ぜったいに連れてこられたくはなかったろうな、と思う。

ゴーン ゴーン ゴーン ゴーン、ゴーン。と五回、近所のお寺のカネの音がした。いつも夕方のこの時間にお寺の人はカネを鳴らした。

「ほんとにパパが作ると？」

姉がほっぺたを膨らませた。

「そうやけど」

「お外でいいやん」

「だからおれが作るって言うとるやんか」

どうやら父はなにがあっても（たぶん嵐がきても）ぜったいに、今日は自分で夕食を作るつもりだったみたいだ。

ぼくは何でそんなに頑(かたく)ななのか理解ができなかったけど、じつは違うことで心が躍っていた。ぼくの家は、町の中心地からずいぶん離れた場所にあった。小学校からはバスで二十五分、「日向橋前」まで乗って、そこから山のふもとまで歩いたところにあった。そしてこの近所には年の近い遊び相手が一人もいなかった。だからぼくの知っている年上の子供は姉だけだったし、姉は遊び相手というにはあまりにやかましかったから、「兄」というものに対しての憧れが強かった。だからいま、目の前に「兄」らしき人が座っていることに、ぼくはけっこうワクワクしていた。

父は手を洗い、まな板やらフライパンやらを、ひとしきりガチャガチャと引っぱり出したあと、冷蔵庫に向かって歩きはじめた。

「パパ、なんも入っとらんって」

ふくれっつらの姉が言った。

「卵ぐらい入っとろうが」

父は冷蔵庫の扉を開け、ゴソゴソと中をあさった。

「卵と、あとは。ハムハム……あれ、ハムはどこ行った？」

「だから。入っとらんって言っとるやん」

むむ。と父はすこし不機嫌になり、「じゃ、これで良いやろ」となにかをつかんだ。

夕日が窓から差し込む。

ぼくは父の姿を見うしない、目を細めた。

父が卵をわり、温めていたフライパンに落とすと、ジュウ、ジジジジジ、とうまそうな音と匂いが台所いっぱいに広がった。そして父は、冷蔵庫から持ってきた「なにか」を手に取り、フライパンに放り込んだ。

「あっ」

シュンくんは驚いてそう言った。初めてぼくが聞いたシュンくんの声だった。

姉も、それハムじゃないっ、と慌てて声をあげたが、父はぼくらに背中を向けたまま言った。

「大丈夫やろ？　そんな細かいこと気にすんな」

そして父は、ふと、ぼくらのほうを向いた。

＊

「おれがそのとき見た父は、どことなく照れくさそうに笑っていました。逆光で表情がうまく見えなかったんですが、たぶん、そうだったと思います。ハムの代わりですか？　あの、笑ってしまうんですが、スライスチーズでした。でもこれが、意外にも旨くって。父はひとしきり料理を作ると、それはスライスチーズの目玉焼きとめちゃくちゃ雑な焼きうどんでしたが、それらをわっとテーブルに広げてみんなで食べはじめたんです。そしたら父は一人一人の顔を覗き込んで、麟太郎どうだ？　美也子どうだ？　って。たしか、兄も尋ねられて、旨いです、って答えてました。そりゃあ、あんなに何回も訊かれたら誰でもそう言っちゃいますよ。だって、ほとんど脅迫ですもん」

麟太郎の話を聞いていた親戚たちが、おもわず笑い崩れた。

「でも、なんか。わかった気がするんです。父があの日、自分で晩飯を作るって言って曲げなかったわけが」そう言いながら、食いかけの目玉焼きを見た。「――親父、やっぱり初めて会う兄に、格好つけたかったんだと思うんです」

麟太郎は目玉焼きの残りを、カリカリとした音を確かめるように、頬張った。

そして少しだけ間を置き、言った。「……ただ、そのあとが大変でしたよ。だっておれたちが旨いって言ったばっかりに、母が退院してくるまでの一週間、ずっと、親父の創作目玉焼き、食わされ続けましたから」

親戚たちは、また笑った。

「あんたよう覚えとるね。そんな昔のこと」と美也子が言った。

「いやいや、いや。姉ちゃんだろ、旨いって言ってたの」

「言っとらんよ、そんなこと」

美也子が頑なに否定する。

麟太郎はそんな姉に呆れながら、祭壇に大きく引き伸ばされた父の遺影を見た。写真の中の父の口元は、ごく控えめだが微笑んでいる。

もしかしたら、姉は忘れてしまったのかもしれない。だけど隣で見ていたおれは覚えている。父の作った目玉焼きを食べたとき、姉の口元がゆるみ、「旨いか」と父が訊くとコクリとちいさく頷いたのを。

その一週間後、母が退院してこの家に戻ってきたとき、おれは照れながら「おかえりなさい」と言った。けれど姉は帰ってきたばかりの母をじっと睨みつけ、一言も声をかけることなく、荒い足音だけを響かせて、二階にある自分の部屋に閉じ込もった。そしてかなり長い時間、おれたちの前に姿を見せようとはしなかった。

父はそのことに腹を立て、階段の下から怒鳴り散らしていたが、今のおれにはそのときの姉の気持ちが理解できる気がする。むしろ、父の気持ちの方が理解できない。

合わせ味噌

東家の「通夜ぶるまい」の席では次の料理の準備が進められていた。

祭壇を背に喪主のアキコが小ぶりの椀(わん)を、坊主、洋一、善男、と上座から順に並べていく。後ろのテーブルでも同じように、信子が他の親戚たちに椀を配っていった。

ほくりと白い湯気がのぼる。いつもの味噌汁だ、と麟太郎は思った。

東家の味噌汁は、太めに切られたニンジンに、ジャガイモ、蓮根、玉ねぎ、豆腐、白ネギに、ワカメと、きわめて具だくさんで、椀を手にするとごろりと転がる音が聞こえてきそうなほどの山盛りだった。

麟太郎は「いつもの味噌汁」を一口啜ると、隣に座る姉を見た。

そして、深いため息をこぼした。

朝七時二十分に、わが家では朝食を食べはじめた。この習慣は最初からそうだったわけじゃなく、二つの家族がいっしょに生活していくなかで徐々にその時間に落ちついていった気がする。

退院してからも、数日の間は父がぎこちなくみんなの朝食を用意したが、いよいよあたらしい母の作る料理を食べられる日がやってきた。

*

その日、あたらしい母がえらんだのは和食だった。

だしまきの玉子焼きに、こんがりうまそうに焼かれた鮭、カラフルに彩(いろど)られたサラダに、ふくやの明太子と大根おろし、あとは米粒がつやつやに炊けた白ご飯。

次々とテーブルに並べられる朝食に、ぼくはワクワクしていたのだけど、姉は母が食事を並べるたびにその手元を睨んでいた。

あたらしい母は味噌汁を配り終えたところでようやく自分の席についた。

「それじゃあ。いただきます」

父が満足そうに手を合わせた。

みんないっしょに朝食に箸をつける。姉以外は……。

「なに、これ」

姉が口をへの字にまげた。

「ん、どうかしたんか?」父が姉を見る。

「これ、濁っとる」

「濁っとらんやろが、赤味噌やろ、これ」

「濁っとる。いっつも白かった」

「だってあれ、白味噌やろ?」

「中身もすくない」

たしかに「東家の味噌汁」は具だくさんの白味噌だった。

そしてこの日の味噌汁は具がシンプルな赤味噌、「青柳家の味噌汁」だった。

「ねえ」

と見かねた母が、優しく言葉を添える。

「美也ちゃんは白いほうが好き?」

「……」姉は答えない。

あたらしい母は黙り込む姉にぎこちなく笑顔をかえし、食事を続けた。父もこの妙な空気を振り払うように飯を頬張る。そしてシュンくんの味噌汁をすする音だけが食卓に響いた。

その音を聞いた姉が、とんでもないことを言った。

「……ママの味噌汁がよかった」

一瞬にして父の顔が土色に変わった。ぼくはとっさに母を見た。母の顔色はさらにわるく、冷凍された河豚（ふぐ）のようにぽっかりと口を開けている。

そんななか、一人顔色を変えなかったのはシュンくんだった。

シュンくんはこおりつく食卓など気にとめることもなく、平然と「青柳家の味噌汁」を手に取り、ズズズズッ、とひときわおおきな音で汁をすすった。

そして独り言のように、「じゃあ、食べなきゃいい」とつぶやいた。

今度はシュンくんを、みんなが見た。

父はびっしょりと汗をかいている。母はさっき以上にかたまっている。

ぼくはぐつぐつと湯のわくような気配を感じ、おそるおそる隣の姉を見た。やっぱりだ。姉の顔はかあっと赤みをおびていた。そして沸点に達したのか、姉はおもいっきりテーブルを叩くと、そのまま立ち上がり、ぼくの椅子の後ろを通り抜けて台所を飛び出していった。

「おい、美也子っ」

父が叫ぶが、その声は階段をのぼる姉の足音にかき消されてしまった。

翌朝母が食卓に並べたのは、具だくさんの白味噌だった。

じつは前日の夜、母は仕事から帰ってきた父に「東家の味噌汁」のレシピを詳しく聞いていたのだ。もちろん父は、炊事場に立つことなんていままでなかったから、味噌汁のレシピなんて知らない。そこで母はどんな具材が入っていたのか、味噌の種類はなんだったのか、どこの店で買っていたのか、などなど、父のおぼろげな記憶を徹底的に掘りおこし、足りない具材はおそくまで開いているスーパーに買いに走った。そしてしまいには父に何度も味見してもらうという念の入れようだった。

姉は予期せぬ「東家の味噌汁」に戸惑っていたが、やがてそれに口をつけた。そして満足そうに味噌汁をすすった。ぼくはすこしほっとし、父と母も顔を見合わせ笑ったけれど、大変なのはそのあとだった。

「どうかしたね？　シュンくん」

箸の進まないシュンくんに父が尋ねた。

シュンくんは首をかたむけながら味噌汁の椀を睨み、

「今日、あんまり食欲ないんです」と言った。

けれど「食欲がない」はずのシュンくんは箸に手を伸ばし、バクバクと勢いよくご飯やおかずを頬張りはじめた。味噌汁以外は……。


それからの二人の行動は、ぼくにも簡単に予想がついた。

食卓に「東家の白味噌」が並ぶとシュンくんが拒否し、「青柳家の赤味噌」が並ぶと姉がそっぽを向く。

そんなくだらないラリーが何度も続いたある朝、母が食卓に並べた椀にはいままで見たことのない味噌汁が入っていた。

「……なに？　これ」

味噌汁を見て、姉が言った。

「合わせ味噌」

母は表情も変えずその問いに答えた。

「え、でも」とシュンくんも慌てて抗議した。

けれど母は「もう、これからはコレしか作らないって決めたから。だから食べるのも、食べないのも、あなたたちの自由よ」と、ぴしゃりと言いきった。

姉もシュンくんも、互いの顔を見合わせて黙り込んだ。そしてしぶしぶその味噌汁に口をつけた。二人同時に。

それから母はほんとに具だくさんの「合わせ味噌」以外を作ることはなくなった。

そしてこれがわが家の「いつもの味噌汁」になった。

合わせ味噌・おかわり

「知った風な顔を」と心の中で美也子は思っていた。

彼女は腹が立っていた。たしかにさっき弟が伯父さんたちに話した「目玉焼きのエピソード」、あれはまあ、大体正しい。あながち間違いではない。

でもね。と彼女は思った。

弟が自信満々に語った味噌汁の話には間違いがある。

初めて味噌汁が出てきたとき、アイツは「じゃあ、食べなきゃいいい」って言ったんじゃない。「じゃあ、食べなきゃいいじゃん」って言ったの。

勿体(もったい)つけるような言い回しで。

＊

いいじゃん……。

味噌汁をわざと響くような音ですすったあと、たしかにアイツはそう言った。温度のない乾いたような低い声で。その瞬間、あたまのなかで「ぷちん」という糸のきれるような音がした。

気がつくと、わたしは階段を駆け上がり、自分の部屋に飛び込んでいた。

そのあとはなにも考えたくなかったから、タオル生地の肌かけ布団をかぶってベッドのなかでミノムシみたいに体を丸めた。

そして何度もつぶやいた。「じゃん」って何なのよ、と。

そのスカした語尾が妙に鼻についていた。都会をアピールしたいの？　それともここがものすごーく田舎だとお知らせしたいの？　どちらにしても許せなかった。

これから先、わたしは初めて会ったアイツのことを「兄」と呼び、あの女のことを「母」と呼ばなければいけないのだろうか？

わたしのママは、わたしが九歳のときに家を出ていった。詳しい理由はわからない。

パパが家を長く空けることの多い仕事だったから、いま思うと二人が顔を合わせる時間はあまりなかったはずだし、たまに家にいると口喧嘩ばかりしていた気がする。ママは家を出る前日の夜、わたしに言った。「ねえ、美也ちゃん、これだけは覚えておいて……私とお父さんは、明日から別々の人生を歩かなきゃいけない。でもね。私がどれだけ遠くに行ったとしても、私があなたのお母さんであることに変わりはないのよ、ずっと。私はいつでもあなたの味方だし、いつでもそばにいる。もちろん物理的な距離では遠いところに行ってしまうけれど、心はね、あなたの近くにいるの。ちゃんとあなたを見守ってる。美也ちゃん、それだけは覚えておいてね」と。

もちろん覚えている――ただのきれいごとだ。子供も騙せやしない。だけどその教科書の例文のような言葉は、嘘だとわかっていても、心のなかで何度も何度もわたしに呪文をかけた。

ママが出ていってから、ほとんどの食事は信子おばさんが作ってくれた。信子おばさんはパパの二歳年上の姉で、おばさんが二十三のとき近所の木村酒店の善男おじさんと結婚した。木村酒店は東家から日向橋に下っていく途中の、ちいさな公民館のすぐ隣にあったから、歩いて三分くらいの距離だった。

代々東家と木村家は仲が良く、そんな間柄だったからおばさんも気兼ねなくご飯を作りに来てくれた。冷蔵庫にはタッパに入れられた惣菜をスーパーのように並べてくれたし、わたしと弟のお弁当まで用意してくれた。とにかく時間のある限り信子おばさんは、わたしたちの身の回りの世話をしてくれた。料理はおばさんに任せきりだったけど、その他のことはできるだけやった。パパは自分の生活を変えようとしなかったし、弟も頼りになる歳じゃなかったから、掃除も、洗濯も、おばさんに教わりながらやった。放課後に友だちと遊ぶ時間なんてまるでなかったけど、そのおかげでわたしは寂しさを忘れることができた。

だからママが出ていったあと、自分の生活をとり戻すスタート地点に、比較的はやく立つことができた。「四人家族」だったわたしたちは一人抜けて「三人家族」になった。もちろんそのときはすくなからず心に傷を負ったけれど、わたしは何かをあきらめ、何かを自分に言いきかせて、わたしの日常を手に入れた。そうして小学校四年生から六年生になる二年間、しずかに、でも着実に、自分の生活を取り戻してきた。それなのに、今度はいきなり「五人家族」になるのだという。

正直、わたしはママが出ていったときよりもずっと強いショックを受けた。

味噌汁を一滴も飲まず、二階の自分の部屋に駆けのぼったあの朝、わたしは学校を休むつもりでいた。

そして、熱があると言おうか。お腹が痛くなったと言おうか。などと現実逃避をしていると玄関から「いってらっしゃい」という晴れやかな声が聞こえてきた。それは義理の母がアイツを見送る声だった。

その瞬間、わたしの妄想はふきとんだ。

なんで「東家」の玄関で「青柳家」の人間がお見送りしとるんよ。しかもなんで「東家」のわたしが「青柳家」の人間に仮病なんてものを使わんといけんのよ。

わたしはすぐに準備をし、急いで家を飛び出した。

もちろん義理の母からの「いってらっしゃい」の言葉を聞く前に。

学校は普段とまったく変わらない光景だった。

後ろの席の男子たちが昨日のテレビの話題で笑いはじめ、教壇の前に座るメガネくんはひつよう以上に手をあげる。女子たちは授業が終わるたびにトイレが近くなり、なぜかグループでステップを踏むように出ていく。

馬鹿みたいに笑う男子たち。馬鹿みたいにはしゃぐ女子たち。周りの音が騒音にしか聞こえない教室で、わたしは窓外ばかりを見つめていた。
夏の日差しを受けた赤土のグラウンドに、ぽつりと一つ、サッカーボールが転がってい
る。誰かが拾いそこねたのだろうか？　それとも自分から拾われることを拒んだのだろう
か？　何にせよ、海のようにだだっ広いグラウンドにぽつりと浮かんでいるサッカーボー
ルは、寂しくも、たくましくも見えた。
放課後にふと、あのボールがどうなったのか気になって、グラウンドに行ってみた。け
れどそれはどこにもなかった。午後の校庭は人影もまばらで、わたしはこの世界で独り
ぼっちのような錯覚をおぼえた。しばらくグラウンドを漂うように歩き回ったあと、体育
館の渡り廊下でボールのカゴを抱えた大塚先生を見つけた。その後ろ姿を見たとき、わた
しは直感した。たった一人で、孤高に浮かんでいたあのボールも、大人の手で安全な場所
に戻されてしまったのだと。

そのあとの数日間、わたしはちいさな抵抗をした。でも、味噌汁を飲んだり、それを拒
絶してみたり、そんなことに何の意味があったのだろう。
そう。まだ子供だったわたしには本当の意味で、何かを変えることも、何かを選ぶこと
もできなかったのだ。だから「あの人」が合わせ味噌を出したとき、今度はそれを拒むこ

とをやめた。もしかしたらわたしは「あの人」のことを、「アイツ」のことを、そんな呼び方で呼ばずにすむ日がやってくるのかもしれない。すこしだけそんなことを考えた。

いただきます。

そう言ったあと、今度はためらうことなく味噌汁をすすった。

そして向かいに座る「アイツ」を、しっかりと見てみた。……なんでだろう。彼はそわそわと落ちつきがなく、わたしと目が合うと、すぐに視線をそらしてしまった。そうか。彼もまたわたしと同じで、まだ何も変えることができない子供なのだ。教えてあげたかった。放課後にグラウンドで見たサッカーボールのことを。まだ気づいてないかもしれないけれど、結局きみも大人の手で、安全なカゴのなかに連れ戻されてしまうんだよ、と。

あの朝、わたしは母の作った合わせ味噌を、しっかりと最後まで飲みほした。

そして五人家族になって初めて「ごちそうさま」と、声に出してみた。

焼きいも

夜風がガラス戸を幾度も叩いた。

昼間のニュースでは勢力の強い台風がこの地域を通過すると、大袈裟に伝えていたが、今はまだ扉のノック程度の音だ。麟太郎はテーブルの向かいに座る、洋一を見た。縁側で、「今夜でかいのが来そうだ」と漁師の真似ごとのように呟いた、その滑稽（こっけい）な言い草を思い出し、おもわずニヤついた。

飲みほされた味噌汁の椀が信子によって片づけられていく。彼女は、自ら率先して喪主のサポート役を務めようとしているようだ。信子は椀をお盆にのせると、二間の広間から玄関のある廊下を抜け、つきあたりにある台所の引き戸を開けた。すると奥からホックリとした、芳ばしい香りが漂ってきた。

その匂いに、「ああ、焼きいもか」と麟太郎は思った。

同時に父から叱られた記憶も蘇ってきた。

二十年前のあの頃、父は多くの時間を家で過ごした。それに伴い子供たちは遊ぶ時間も増え、また叱られることも増えた。けれど一緒にいられることが麟太郎には嬉しかった。


日登志は登山家だった。山岳ガイドをはじめ、ありとあらゆる副業をこなしながら、谷川岳、剣岳（つるぎだけ）といった日本の難所に挑み続けていた。「登山家」と聞くと、なにやら変わった仕事をしている親だと思われ、困った麟太郎は「単身赴任みたいなものだよ」と、友人に説明していた。登山家はいわばアスリートのようなものだ。だから家に遊びに来た麟太郎の友人たちは、どんな熊のような父親が顔を出すのかと、どきどきしていたが、父と顔を合わせるといつも拍子抜けしていたようだ。

十代半ばに日本人初のアルプス三大北壁登頂のニュースを見て、日登志は山にのめり込む。一度は近所の工務店に就職したが、すぐに辞め、勘当（かんどう）同然で家を飛びだし、二十代前半で本格的に山登りを職業に選んだ。けれど二つの家族が一つになったとき、周囲が驚くほど潔く（いさぎよ）山を捨てると、実家に戻って近所のセメント工場に勤めはじめた。

＊

　夏の初めにあたらしい母とシュンくんがこの家にやってきて、数ヶ月が過ぎていた。

　近所の稲刈りはすでに終わっていて、日向橋までのびる田んぼ道は、見通しのよい枯れた大地に様変わりしていた。けれど秋になっても、シュンくんはぼくたち家族とほとんど話をしようとしなかった。それは、あの日も同じだった。

　いつもだとぼくは、学校から戻ると玄関に靴を脱ぎすてて、おやつを食べに台所に向かう。でもその日は縁側に座るシュンくんが気になってしまった。

「ただいま」

　ランドセルを背負ったまま声をかけてみた。気づいたシュンくんはちらりとぼくを見たけれど、すぐに視線を手元に戻した。

　シュンくんはいつも本を読んでいた。それはきまって縁側だった。

　ぼくが気になっていたのは彼の読んでいた本の表紙で、描かれていた紫がかった空が、夜明けまえなのか、夕暮れどきなのか、どうしても知りたくなってしまったのだ。

「ただいま」

　返事のないシュンくんを覗き込んでみた。

すると、おかえり、と独り言みたいな声が返ってきた。

「なに読んでるの？」

ぼくはシュンくんに尋ねてみた。

「ねえ、なに読んでるの？　それ」

「……サワキコウタロウ」ずいぶん経ってシュンくんが答えた。

「サワキコオタロオ」

馴染みのない言葉を繰り返しながら、ぼくはシュンくんの隣に座った。

いま思うとそれは、沢木耕太郎の『深夜特急4　シルクロード』だった気がする。

「みんなは？」

ページをめくるシュンくんに言った。

「家におらんの？」

「……たぶん」

「ふーん」

ぼくは足をぶらつかせながら、彼がページをめくる音を聞いていた。

「ねえシュンくん、お腹へったね」

シュンくんはページをめくる手を一瞬止めた。何か考えているようだった。けれどそれを口に出すことなく次のページに進んだ。

　ぼくはシュンくんとの会話をあきらめ、靴を脱いで台所に向かった。いつもおやつがあるはずのテーブルには、なにもない。困ったぼくは冷蔵庫の扉を開けた。そこにもなにもないから、手当たりしだいに棚の扉を、開けては、閉めた。そしてようやく見つけた新聞紙の包みを、そのまま両腕に抱えて縁側に戻った。

「ねえねえ、シュンくんっ」

　ぼくは抱えた包みを彼のそばに置く。

　それはずっしりとした重たい音を鳴らし、シュンくんは両目を見ひらいた。

「なに、それ？」


　ライターは父の部屋からこっそり持ってきた。

　シュンくんは錆びついた石を何度も回し、落ち葉の山に近づけた。それを十回ほど繰り返すと、しゃっ、と気持ちのよい音がした。

「ねえ、これ、いつ焼けるんだろ」

　落ち葉の隙間から顔を出したさつまいもを眺めながら、ぼくは尋ねた。

「まだ。あとすこし、時間がかかるよ」とシュンくんが言った。

ちりちりと音がする。

落ち葉に顔を近づけ、ふっと息をかけると、ほんのわずかに火種がふくらんだ。堪えきれずに「まだかな」と訊くと、シュンくんは声を出して笑った。

くしゃりと目を細めるシュンくんを見て、こんな風に笑うんだ、と新鮮だった。

「ねえ。シュンくんちって、山あった？」

「あったよ。山もあったし、海も近かったかな」

「え、何てとこ？」

「鎌倉だけど。知ってる？」

シュンくんは神奈川県にある鎌倉に住んでいた。ぼくは神奈川が県だということを初めて知った。てっきりあの辺りは横浜という県だと思っていた。

ぼくは、「鎌倉には何があるの」と訊いた。

シュンくんはそれについてしばらく考え、「大仏かな」と答えた。

それからさつまいもが焼けるまでの間、ぼくらはたくさんの話をした。

シュンくんが教えてくれた鎌倉は、ぼくが想像していた東京や横浜より、ずいぶんちいさな町だったけど、それでも彼の語ってくれた「東京から一時間で行ける鎌倉の町」は、なんだかすごく、きらきらとしていた。

でも、一つだけ気になることがあった。

それはシュンくんの語る話のなかに、一言もお父さんの話がなかったことだ。

「ねえ、シュンくん」

ぼくはどうしてもそのことを訊いてみたくなった。

「シュンくんのお父さんって、何してるの？」

「……」シュンくんはなにも答えなかった。

そしてすごく寂しそうな顔をしたまま黙り込んでしまった。

やっぱり訊かなければよかった。ひどく後悔した。けれど直後に吹き込んできた風に気をとられ、ぼくは後悔していたことすら忘れてしまった。風が通りすぎたあと、落ち葉を燃やしていた火種は完全に力を失っていた。

「あ」

ぼくは黙り込むシュンくんに言った。

「火、消えとる」

「……え？」

シュンくんは腰をかがめて落ち葉の山を覗いた。

「またつくかなぁ」とぼくは尋ねた。

シュンくんは「大丈夫だよ」と言った。

「その辺にある燃えそうなもの、いっぱい入れようか」

「わかった！」

ぼくは頷くと、足元に落ちていた葉っぱや枝や、ゴミみたいなものまで、手当たりしだいに火の消えた山に放り込んだ。

シュンくんはさつまいもを包んでいた新聞紙を雑巾のようにしぼり、その先っぽにライターで火をつけた。足元に置いたライターは半透明のプラスティックで、ほとんどガスが入っていないのがわかった。だからぼくはそれを手に取ると、なんの迷いもなく落ち葉の山に放り込んだ。

次の瞬間のことはほとんど覚えていない。でもシュンくんがなにかを叫んでいたようだった。

とつぜん、おおきく弾けるような音がして、真っ白な煙が周りをおおった。爆風は思いのほかに強かった。ぼくはなにが起こったのかまったく理解ができず、ぽっかりと口を開けていたのだと思う。

見渡すと、同じように口が開いたままの、シュンくんがいた。

ぼくは漫画に出てくるような真っ黒な顔の彼を見て、たまらずに大声で笑った。買い物から帰ってきた母も、はじめはぼくらの顔を見て驚いてみせたが、やがて堪えきれずにお腹を抱えてしまった。そしてまだ半焼けだったさつまいもをホイルのまま（大切な宝物を運ぶようにそっと）台所に持っていき、コンロで最後の仕上げをしてくれた。

ぼくらは二人並んで縁側に座り、母が仕上げた焼きいもをおもいっきり頬張った。

この日から、シュンくんのお気に入りだった縁側は、ぼくとシュンくんのお気に入りの場所になった。

その晩、帰ってきた父からこっぴどく叱られた。シュンくんを怒るなんて初めてのことだったと思う。父は断りもなくライターを持ち出したことと、危険な扱い方をしたことに怒っていた。ぼくらは叱られているとき、ずっと下を向いて反省したふりをしていたけれど、ほんとうは顔を見合わせながら吹き出しそうになっていた。

そういえばあの日彼が読んでいた本の表紙の、うすく紫がかった空が、夜明け前なのか夕暮れどきなのか、それは今でもわからない。でも、ぼくが彼のことを「シュン兄」と呼びはじめたのは、秋の夕暮れどきだったはずだ。

焼き魚

はらはらと、窓の外には雪がちらついていた。

二階の机で教科書に向き合っていたわたしは右手の動きを止め、鉛筆を置いた。窓ガラスは部屋のなかに置かれた石油ストーブと外気の温度差で、白く曇っている。キャスターの付いた勉強椅子に座ったまま、体ごと滑らせ窓際に近づく。そしてガラスの水滴を手のひらでサッと拭きとり、白くなっていく冬の庭先を眺めた。軽トラを停める芝生の駐車スペースも、池を囲む大小の石も、わたしが生まれた年に植えられた梅の木も、雪の絵の具で次々と白く彩られていく――。

なんていうセンチメンタルな心情に浸っているわけでも、白銀の世界を見たかったわけでもなく、わたしの視線の先にあったのは、雪の上を妙なテンションではしゃぐ男子どもの姿だった。

「何なんよ、あの人たち」

薄着のまま走り回る弟とアイツに、わたしは舌打ちをした。

せっかく真っ白になったキャンバスの上を男子どもが汚していく。足跡は四方八方に広がって、どんどんヘタクソな絵が描かれていく。けれどその足跡の多さが、あいつらの仲の良さをことさら強調しているようで、よけいにわたしの感情を逆なでした。

台所ではあたらしい母が夕食の準備をはじめていた。

二階にいてもわかるほど煙たいこの匂いは、きっと焼き魚だ。わたしは顔をしかめながら自分の喉元をさわった。――――何でなのかわからないけれど子供のころから「魚の骨」に当たりやすかった。そんな体質あるはずない、と誰もが言う。だけどわたしがそんな体質なのだから、しかたがない。

だいたいは喉の近くのアゴ付近に刺さった。骨の細かい焼き魚はもちろん、比較的骨に気づきやすそうな魚でも、それらは容赦なく喉元をおそった。

もう一度窓外の景色を眺めてみた。

積雪のキャンバスの上に、彼らは雪だるまを作りはじめている。

わたしは自分の喉にそっと手をあてながら「わたしに刺さったこの小骨はいったいどうやって抜いたらいいのだろう」と心のなかでつぶやいていた。

*

その晩、食卓に並んだのは秋刀魚(さんま)だった。

わたしの家では、台所のダイニングテーブルで朝食を食べる。そして夕食は座敷の座卓で正座して食べた。

そのころ家にあったテレビは座敷に置かれた一台だけだったから、夕食を座敷で食べる習慣がついたのかもしれない。でもいつからか、テレビはご飯が終わってから見るという暗黙の約束ができてしまい(たぶん麟太郎がテレビにかじり付いていたからだ)、結局そこで夕食を食べる習慣だけが残った。「青柳家」の二人が「東家」にやってきて、家族の座る位置もがらりと変わった。わたしと麟太郎は十六インチのブラウン管を背にして並んで座り、向かいにパパが一人で座り、台所に近い位置にあたらしい母、そして逆側にあたらしい兄が座った。

魚が献立に並ぶ日、わたしの気持ちはすこぶる重い。もちろん骨が刺さるからだ。だけどこの日の夕食は輪をかけて気持ちが重かった。

「それ、いつなんだ」

不機嫌そうにパパが言った。授業参観のことを伝えていなかったからだ。

「あした」

「明日？　何でいま言うんだ」

「なんでって、なんとなく」

「何となくやなかろうが。今日の明日の話やろ。おれだって夕方まで仕事終わらんし、急に休みなんかとれんやろうが――」

そんなこと知ってたから今日まで黙っていた。なのに授業参観のプリント用紙が机の上に置かれているのを見られてしまった。それにしてもノックもせずに年ごろの娘の部屋に入ってくるとか、非常識やろ。わたしはそのことが腹立たしかった。

納得がいかないまま箸を持つと、こんがり焼かれた秋刀魚と目が合った。

わたしはすこしだけ躊躇（ちゅうちょ）しながら、パリパリになった皮にズッと箸をつきたてた。秋刀魚には細かい骨がいっぱいある。なんだか嫌な予感がした。箸で白身をつかみ、そのまま口のなかに入れる。一度、二度、おそるおそる噛んでみた（今日は大丈夫なのかもしれない)。けれど十回ほどそれを繰り返したとき、右奥の喉元に強烈な痛みを感じた。

「なんだ。どうかしたんか?」

「ホネ」

「刺さったんか?」

「おとといも刺さった。魚、好かん」

「好かんモンもちゃんと食わんと駄目やろが。麟太郎もシュンくんも食べとるのに、お前だけワガママだぞ」

「そんなん関係ないやん。押しつけんでよ」

途端、パパの表情がぐるりと変わった。

「おい、美也子」

低い声で言うと、箸を持ったままテーブルをどんと叩いた。

食卓の空気が止まる。

この瞬間が大嫌いだ。次の展開はわかる。パパが大声で怒鳴りはじめるのだ。そしてわたしは何も言えなくなり、二階の自分の部屋に逃げ込むしかなくなる。

けれどパパが次の言葉を言う前に、あの人がわたしの名前を呼んだ。

「ねえ、美也ちゃん」

あたらしい母は言葉を続けた。

「授業参観って、私が行っちゃだめ？」

「え」

なぜかその声で、緊迫が一気に消えた。

「明日、私が授業参観行ったら恥ずかしい？」

「……」

「どうだろ。すこしだけ遅れちゃうかもしれないけど、行ってもいい？」

あまりにてらいなく話す彼女の顔を見て、わたしはつい頷いてしまった。

奇妙な気分に戸惑いながら、わたしは自分の喉にそっと手をあてた。あまり痛みを感じない。

どうやらさっき刺さった骨は、気づかぬうちにどこかへいってしまったようだ。

＊

授業参観は何事もなく終わった。あの人が教室に入ってきたとき素直に目を合わせられなかったけど。

そのあと、わたしたちはバスに乗った。

通学路を走るバスは、夕方前だからか空席が目立つ。わたしとあたらしい母は後ろの席に座った。隣に座るのは嫌だったから、あたらしい母が先に座るのを待って、通路を挟んで逆側に座った。

バスは小学校前から信用銀行前を通り、栄町プラザボウル前に差しかかった。

「美也ちゃんって、ボーリング好き？」

「まあ」

窓枠に顔をくっ付けながら、わたしはそっけなく答えた。

「じゃあ今度みんなで行こっか」

それには答えなかった。

前方の席で赤ん坊の泣き声がした。ほとんど客がいなかったから声は車内に響き渡った。わたしはさっきにも増して居心地がわるかった。赤ん坊の声が気になったのではない。近くに座るあたらしい母の沈黙が、わたしを落ちつかない気分にさせた。

バスはプラザボウル前に停車し、二人の客を乗せた。自動扉が錆びた音をたてて閉まる。そして燃費のわるそうなエンジン音が座席を揺らしはじめたとき、あたらしい母が口を開いた。

「ねえ、美也ちゃん。お魚きらい？」

「きらい」

「ホネ、刺さるから？」

「そう」

なんの話だ、これは。わたしは景色を眺めながら受けながした。すると、「私もよ」と同意する声が聞こえた。

わたしはおもわず視線を移した。あたらしい母が笑っていた。

「私もね。昔はよく刺さってたのよ、魚のホネ。食べるたびに喉のこの辺にチクチク刺さったわ」

そう言ってあたらしい母は、手のひらを自分の喉元にあてた。

わたしが「いまは？」と尋ねると、彼女はちょっとだけわたしに近づき、秘密の話でもするみたいに小声で話しはじめた。

「あのね、美也ちゃん。いいこと教えてあげよっか？」

「いいこと？」

「じつはね、おまじないがあるの。ホネが寄ってこなくなる」

わたしは「嘘だ」と即座に言った。けれどあたらしい母はまた笑い、

「そう思うでしょ。でもね、あるの」とつぶやいた。

気になったわたしが「どんな?」と訊くと、彼女は悪戯(いたずら)っぽい表情できょろきょろとバスのなかを見渡し、わたしにしか聞こえない声で言った。

「あのね、アトミヨソワカ、って三回言ってみて」

「……アトミヨ?」

「ア、ト、ミ、ヨ、ソ、ワ、カ」

彼女は一つ一つの「音」を大切に扱うように、その言葉をつぶやいた。

わたしも言われたように繰り返す。するとあたらしい母は満足そうに頷き、わたしの顔を覗き込んだ。

やがてバスの自動扉が軽やかな音をたてて開いた。

わたしはあたらしい母に導かれるようにバスを降りた。わたしたちは葉っぱのなくなった桜の枝をくぐって、日向橋を歩いた。話した内容はあまり覚えていない。でも歩く速さと二人の距離はなぜか覚えている。

わたしと母は、あの橋を並んで歩いていた。

のんびりと隣を歩く母を見上げながら、わたしは夕方の柔らかな光が、彼女の笑い顔を照らすのを見つめていた。

不思議なことに、その日から魚の骨が刺さることはなくなった。

なぜなのかはわからない。

わたしは母に教えられたとおり、おまじないをつぶやき、おそるおそる魚に手を伸ばした。そして魚の身を慎重に口にふくみ、何度も噛んでみた。けれどどれだけ口を動かしてみても奥歯に痛みを感じることはなく、母の顔を覗き込んでみても、くすくすととぼけるだけだった。なんとその夜、わたしは初めて焼き魚を一匹完食することができたのだ。

それからも魚の骨がわたしに近づくことはなくなり、いつしか喉元の骨の存在すら忘れてしまった。


新しい家族との生活が体に馴染むにつれて、わたしは部屋に籠もるのをやめた。

宿題も部屋の外でやることが増え、台所のダイニングテーブルはお気に入りの勉強机になった。台所で宿題をするとき、いつも流しを背に外の景色が見えるように座った。そして料理の出来上がっていく「音」や「匂い」を楽しみながら、勉強した。母と目を合わせるのが恥ずかしかったから料理の手順は見なかったけれど、音と匂いでだいたいの献立を予想できた。

そういえば一度だけ、後ろを振り返ったことがある。その日は魚料理だった（冷蔵庫から魚を取り出す音でわかった）。包丁でサクリと身を分ける音がしたあと、母はコンロを温めはじめた。きっと焼き魚だ。わたしはそんなことを考えながら、勉強を続けた。ただ魚を「切る」動作から「焼く」動作の途中に、「やけに長い間」があることに気づいた。その奇妙な間に興味をかられ、すこしだけ体をひねってみた。するとまな板に置かれた魚に懸命に向き合う、母の姿が見えた。手元は、母の背中に遮られて見えなかったけど、とても細やかな作業を重ねていた気がする。でもそんなことすら、いつの間にか記憶の奥のほうに追いやられていった。

わたしが骨の痛みを思い出したのは、この家を出たあとのことだった。

地元の短大を出て、康ちゃんと結婚したわたしは「東」から「北島」になった。そして実家からおよそ三十分離れた町に越し、線路沿いの公団住宅に新居を構えた。

新婚暮らしでまず苦労したのは、料理だった。自分で家事をやりはじめて、どれだけそれを母まかせにしていたかに気づいた。

そんなわたしがいよいよ魚料理に挑み、一口目を食べたときだった。

ズキリと、奥歯に忘れていた痛みが走ったのだ。

「どうしたの」

顔をゆがめるわたしを見て康ちゃんが訊いた。

「骨が入ってて」

「骨って、魚の骨？」

「そう、久しぶりに入ってた」

「久しぶり？　なんで？」

「なんでって……」

「だって魚に骨が入っとるの、当たり前のことやろ？」

康ちゃんは怪訝な表情を浮かべ、また箸を動かしはじめた。

わたしも同じような表情で魚を見た。そのときふいに子供の頃の記憶が頭をよぎったのだ。それはそうだ。ちょっと考えてみれば気づく。おまじないなど存在しないことに。だけどわたしはずっと母の魔法にかかっていた。今となってはわかる。母の手元でおこなわれていた「やけに長い間」の意味も。そこにどれだけの手間がそそがれていたのかも。

康ちゃんは考え込むわたしを不思議そうに眺め、「どうかしたの」とまた尋ねた。

わたしは首を横に振って、目の前の皿に盛られた焼き魚の骨を、おそろしく不慣れな手つきで抜きはじめた。

通夜ぶるまいも四品目が出終わり、時刻は八時半をまわった。

軒下にさげられていた提灯(ちょうちん)は強くなってきた風に耐えきれず、家の中にしまわれてしまった。この天候で訪れる客もないだろうという伯父たちの判断だった。

洋一も善男も、テレビの台風情報を酒の肴(さかな)に、なにやら楽しいことが訪れるかのような口ぶりで飲み交わしていた。

久しぶりにこの時期に帰省した麟太郎は、強くなってゆく風を見て、二つのことを思い出していた。

はじめに思い出したのは小学校のときの大掃除のことだった。

昔から九州は台風の通り道で、この地域に住む者にとってそれは季節の風物詩のようなものである。だから台風に対して独特の向き合い方があり、その一つが通り過ぎたあとの学校行事だった。台風翌日の午前、地域の学校では授業をつぶして校庭の大掃除をした。もちろん前日の風の程度にもよったが、小学校から高校まで分け隔てなく、傍若無人に暴れまわった台風の後始末を、生徒たちが受けもつという暗黙のルールがあった。麟太郎は幼い頃、台風の翌朝が好きだった。午前の授業がなくなることも大きな理由だったが、あらゆるものが散らばった校庭の潔い混沌が、理屈抜きに好きだった。何より台風が過ぎ去ったあとに訪れる澄み切った空を見るのが楽しみでしかたなかった。

　そして次に思い出したのは、中一のときの台風だった。

　それは数十年に一度の大きな台風で、東家に決して小さくない被害をもたらした。庭の木は折れ曲がり、犬小屋の屋根も吹き飛ばされ、翌朝、麟太郎が玄関の扉を開けたとき、庭中踏み散らかされたような無残な状態だった。その朝の空は台風一過とは程遠く、鈍く重い雲に覆われ、晴れ間を見せることはなかった——その日から麟太郎は台風の翌朝が好きではなくなった。

すみません、という声がわずかに聞こえた。

最初の声は風音に混ざり、それが人の声なのか判断ができなかった。そして二度目の声で、玄関の近くに座る信子がようやく弔問客だと気づいた。

カタカタと揺れる磨りガラスに、人影が映っている。康介がいち早く腰を上げ、玄関の引き戸を開けた。

「すみません、こんな夜分に」

そう言いながら、髪の毛をボサボサにあおられた男が入ってきた。

「どうぞお上がりください」

康介が促すと、男は申し訳なさそうに靴を脱いだ。

男の顔は浅黒く四十代前半だろうか。皆、ふいに現れた来客を興味深く迎えた。

「さあ。どうぞどうぞ」

年長者の洋一が、浅黒い男に声をかけた。

「井住といいます。こんな遅い時間になってしまって」

「イズミさん、ですか」

男は人の良さそうな顔で頷き、そのまま棺のそばに足を運んだ。

「よかったら、弟の顔を見てあげてください」

洋一が言うと、井住は棺に一礼し、

「すみません。また遅刻してもて」と呟いた。

独特な訛りに親戚たちはくすりと笑い、通夜の席に朗らかな空気が流れた。

ちょうどそのとき台所の戸が開き、次の料理を運んできたアキコが井住の姿を捉え、声をかけた。井住も彼女に気づきお辞儀した。

「アキコさん。遅くなってすみませんでした」

「わざわざありがとうございます」

「あの。ほんとうにこんな遅くにすみませんでした」ともう一度深く頭をさげた。

そのやり取りの中、井住は麟太郎が座っていることに気づき、

「あれ。もしかして麟太郎くん？」と声をあげた。

麟太郎はよそよそしく微笑みながら「ご無沙汰してます」とお辞儀した。「いやー立派になったねぇ」と井住が続けたが、じつをいうと彼のことはあまり思い出せなかった。会っていたとしてもまだ幼かった頃なのだろう。

「井住さんもよかったら召し上がってください」

座るように促し、アキコが新たな料理をテーブルに並べていった。

井住は目先に置かれたピザを不思議そうに眺めている。それはピザ生地の上にこんもり

と具材が盛られた〝しめじのピザ〟だった。

「お嫌いですか？」

「いえいえ、そんなことはないです。もちろんいただきます」

そう言いながら空いた場所に腰を下ろすと、善男が献杯のグラスを差し出し、

「さあさあ。飲んで飲んで」と酒を勧めた。

グラスになみなみとそそがれた冷や酒を持ち、井住はそれを目の高さまで持ち上げると、無言で献杯の挨拶をした。そして少しだけふちに口を付けたあと、誰に言われるでもなく自己紹介をはじめた。

「あの、ボク、日登志さんとは同じ工場に勤めておりまして、随分とかわいがっていただきました。ほんとに寝坊が多かったので、よく叱られましたけど、福井から転勤してきて右も左もわからないときから色々と教えてもらって、それはもう、実の兄貴のような存在でした」

息つぎなく喋ると、井住は残った冷や酒を一気に飲みほした。

「いやいや、そうでしたか」

と洋一が感心するように頷いた。

「日登志もね。あんだけ、山、山って、もう私らからしたら到底理解できんとこもあった

けど、それもスパッと諦めてくれてね。ちゃんとした仕事に就いてくれて、みんな安心しとったんですよ」と大袈裟に語った。

麟太郎は洋一の話に顔をゆがめた。昔から何度も聞かされた話だったからだ。おれがこの土地を出たかったのはあんたらも原因の一つだよ。と思っていた。

ガラス戸が、軋んだ音をたてる。

善男が出し抜けに、「井住くん。あんた、山登りはやらんとね」と言った。

「いやぁ、ボクは」とおもいきり両手を振る。

そのせわしない動作に、親戚たちが一斉に笑った。

「そういえば」と善男が続ける。「日登志さん、急にまた山登りはじめたもんな」

「あ、ええ」

なぜか井住が答えづらそうな顔をする。

麟太郎が驚き、「いつからですか?」と尋ねると、

「最近だったろ、たしか最近よ」と善男が答えた。

「え、最近?」

「そうよ。何年前だったかな? 山で迷子になって大騒ぎになったからね」

善男はげらげらと笑ったが、後ろで信子が顔を曇らせている。

「ありゃあ、ほら。遭難ってやつだな」

「えっ遭難？　それ初めて聞いたけど」

美也子が口を挟む。

「あれ、美也ちゃん。知らんかったか？」

「全然知らんよ、そんなん」

「まあでも、大したことなかったみたいだから。ちょこっとだけ迷ったっちゃろ、ひと晩捜したら無事に見つかったみたいやし」

「ほんと、何やっとるんやか。みなさんに迷惑ばっかりかけて」

「まあまあ美也ちゃん、そう言わんとき」

「けど」


その話を隣で聞きながら、麟太郎はふと疑問に思った。父が「なぜ登山を再びはじめたのか」よりも「なぜそんな危ない登り方をしたのか」ということが不思議だった。

父はプロだ。そこに「かつては」という言葉が添えられたとしても、少なくともアマチュア登山家ではない。だから天候を考えれば登らない選択もできたはずだし、どうやら装備も不十分だったようだ。それも父の山登りに対する姿勢とは、違った気がする。

父とシュン兄の会話をいちばん近くで聞いていた麟太郎には、にわかに信じがたいことだった。

皿に分けられた〝しめじのピザ〟を手に取る。

いつも二人が食べていたピザだ。初めて山に連れていってもらったとき、麟太郎もこのピザを食べた。それはたしか春先のこと——五人が新しく家族になって九ヶ月が過ぎた頃のことだった。

しめじのピザ

その年の冬はやけに寒く、二月の後半になっても裏山はうすい雪におおわれていた。だから三月がこんなに暖かくなるなんて誰も想像できず、父に連れられて山道を歩くと春の匂いがぷんと漂ってきたことに、ぼくらは驚いていた。姉は先頭を歩く父に途切れなくグチっていた。「どこまで行くの」とか「あと何分くらいかかるの」とか、同じようなことばかりふて腐れた顔で言っていた気がする。風はまだ肌に寒かったけれど、ちょっと歩くとまるで気にならなくなり、三十分ほど登ったところで見晴らしのよい場所に出た。

父はザックからちいさなフライパンを取り出し、それを小型のコンロで温めた。同時にピザの生地とラップされた具材をすばやく準備した。

ぼくらは父が料理をする姿をひさしぶりに見た。目玉焼き以来だった。でも、あのときよりもずっと手際がよく、もしかしたらピザだけは作りなれていたのかもしれない。

フライパンにのせた生地の上に、トマトペーストのピザソースをかけ、あらかじめ刻んであった玉ねぎ、ピーマン、チーズと、たっぷりのしめじ（これはシュン兄が好きだったからだ）をしきつめると、熱を逃さないようにアルミホイルをかぶせた。そして十分ほどすると、ふたをしていたホイルを外した。白い湯気がわっとあがり、そこからおいしそうな匂いが鼻先まで届いた。姉はとろっとろになったチーズを見て、さっきまでのグチが嘘だったみたいに口元をゆるめた。

昼ご飯を食べたあと、父は折りたたみの三脚を伸ばし、使い込まれたライカをセットした。

左手でピントを合わせ右手のひとさし指がシャッターに触れると、オートタイマーの心地よい音が響いた。父は小走りで四人の元に駆け寄り、ぼくの肩を力強く引き寄せながらカウントダウンをはじめた。そしてカウントがゼロに近づいたとき、みんなの表情が自然にくずれ、その瞬間シャッターが切れた。

写真を撮り終えると、父がふいにシュン兄に声をかけた。

「あそこまで登ってみないか？」

指先はここからずっと遠くを指している。

シュン兄はしばらくその方向を眺め、無言で頷いた。

「そうか」

父は微笑んだ。ぼくはそんな風に笑う父を見たことがなかった。

しばらくして父は必要な物を全てザックに詰めると、それを背負い、シュン兄と共に登山道のさらに奥へと歩いていった。

ちいさくなっていく二人の背中を、ぼくはずっと見送り続けていた。

*

日登志とシュンが歩いた道は、穏やかな登山道とはまるで表情を変えた。

整備された道は一切見当たらなくなり、一歩一歩の負荷が激しくシュンの膝を襲った。

しかし先導する日登志は足の重みなどをまるで感じさせず、軽々と傾斜のきびしい道を進んでいった。シュンはそんな日登志の背中を見ながら、離されまいと、食らいつくように歩いた。日登志もその気持ちを察してか、歩幅をうまく調整し、距離が広がらぬように歩いた。

「山を登るときは自分のペースを見極めるのが大切なんだ」と日登志は言った。

そして静かな口調で話を続けた。

「基本的には『普段よりゆっくりとしたペース』を思い浮かべて歩くといい。遅いことは恥ずかしいことでも何でもない。だから乱されることなく、いちばん気持ちよく歩けるペースを見つけて、それを一歩一歩続けていくことが登山なんだ――」

シュンはその言葉に無言で頷き、自分のペースを探した。

最初に気づいたのは歩幅だった。

シュンは先を急ごうと焦り、大きく歩いて距離を稼ごうとしていた。だが小さく細かく歩くことで、足にかかる負担がぐっと減った。足裏の接地も、日登志と違うことに気づいた。シュンは斜面をつま先で登っていた。登りはじめはするすると進むように感じられたが、しだいにふくら脛（はぎ）の筋肉に負担がかかった。けれど、足裏を斜面にフラットに接地するだけで、ずっと疲れにくくなった。

一つ一つ、目の前を歩く日登志を手本にすることで、シュンは視野が広がっていることに気づいた。それまで見えていたのは日登志の背中と、自分の足元だけだったが、自分の歩き方を探していくにつれ、木々や、そこに根づく土の匂い、鳥の鳴き声、風の音、差し込む光――山の息遣いそのものを感じるようになっていた。

二人は無言で歩いた。

一歩一歩踏みしめるように歩き続けた。

しばらくすると、シュンはとても細かい霧のような雨を肌に感じたが、それでも自分のペースを崩すことなく無心で歩いた。

日登志はザックに巻きつけていたレインウェアをおもむろに抜き取り、それを広げると、シュンの体を覆うように羽織らせた。

「雨に濡れるんも、気持ちよかろう」日登志はシュンに言った。

「……そうだね」シュンは答えた。

しとり、しとりと、ウェアが雨を弾いた。

シュンは、前を歩く日登志の歩幅が少しだけ乱れたことに気づいた。

不思議に思っていると日登志の背中が呟いた。

「なあ」

シュンはその背中を見つめていたが言葉の続きは返ってこず、二人はまた無言で歩いた。

道はさらに険しくなり一歩一歩の重みが増した。

雨がウェアの袖を這うように流れ、シュンがそれを払おうとしたとき、日登志は突然立ち止まった。そして自分を奮いたたせるように口を開いた。

「……ごめんな、シュンくん」

シュンも同じように立ち止まると小さく息をのみ込んだ。

そして「うん」と呟くように答えた。


二人はそれ以上言葉を交わさなかった。

日登志はこぼれそうになる涙を雨に混じらせて無理に笑っているようだった。シュンも何も言わずに笑った。

そして日登志はザックを力強く背負い直すと、シュンを導くようにまた頂上へと向かって歩きはじめた。

*

麟太郎は通夜の席で出されたピザを腹に流し込み、あの頃のことを考えていた。

おれたちが家族として過ごしたのはたったの五年間だった。それが長かったのか短かったのか、おれにはよくわからない。ただ時間の長さよりも、「足りていなかった」という漠然とした気持ちが心の中に漂い続けていた。

シュン兄は、あの日を境（さかい）に山にのめり込んだ。そして父も捨てたはずの山登りを再開させた。

もちろん家族を顧みずしゃにむに登っていた頃と、目的はまるで違った。

コミュニケーションの手段としての登山だった。

父とシュン兄は縁側に登山道具を広げ、いつも二人で話し込んでいた。ピッケルを握るときのコツ、カラビナを持つときの親指の重心、いくつものロープの縛り方——そんな話を飽きることなく続けた。

やがて父は、シュン兄をクライミングの実践練習に連れ出した。直角にそびえる岩場は下と上とではまったく様相が異なる。見上げたときに大した高さを感じなくても、崖の上から見下ろすと不安定な足元から急激に恐怖感が襲ってくる。けれどシュン兄は最初から臆せずに登り、崖の上からの眺望を楽しんでいたという。

父は「あいつ、とても筋が良いんだ」と嬉しそうに言った。

それから徐々に二人は険しい山に挑み、週末はほとんど山で過ごすようになった。食事は決まって父の作る〝しめじのピザ〟だったようだ。

姉も、母と二人で街やスーパーに出かけ、台所にいる時間が長くなっていた気がする。たしか捨てられていた犬を姉が拾ってきたのも、この時期だったと思う。姉はすぐにタロという名前を付けたが、最初に仲良くなったのはおれだった。その次にシュン兄と仲良くなり、姉にはあまり懐かなかった。だからタロの世話係は自然とおれの仕事になった。

五年という歳月の中で、ゆっくりと家族になっていく実感がたしかにあった。あの頃の生活を思い起こしてみても、おれは家族の笑っている顔しか思い出せない。けれど、だからこそ、おれはあの頃の記憶をどこか遠くへ消し去りたくなってしまう。

なぜだろう、あの頃父はとても急いでいたように思う。自分の知りうる全てのことを、シュン兄に伝えようと焦っていた気さえする。

もしかしたら父は知っていたのだろうか?

おれたちが家族として過ごしたあの日々を、「足りていなかった」と感じてしまうときが、いつか訪れることを。

でもそんなことは今となっては知りようがない。父はもう、何も語ってはくれない。

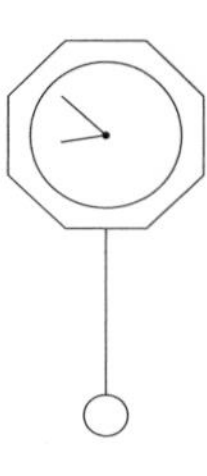

一粒の雨が、古びた犬小屋の屋根に当たり鋭角に跳ねた。

するとそれが合図だったかのように、数え切れないほどの雨粒が庭先の至るところで飛び跳ねはじめ、やがて激しさを増してゆく雨音がこの場所一帯を包み込んでいく。雨が来ることを知っていたのだろうか。老犬は重い瞼（まぶた）をひらくと、のそりとカラダを小屋の奥に運び、大雨を迎える準備をした。

その様子を、ガラス戸のそばに立つ麟太郎は見つめていた。

「どうしたんね？」

便所から戻ってきた善男がぬっと縁側に顔を出した。

窓ガラスに雨粒が滴りはじめたことに気づき、

「ああ、降ってきたね」と呟いた。

麟太郎は煙草をくわえながら「ええ」と短く答える。

「それにしてもあんたとこのワンちゃん、こんだけ風が強いのにキャンともスンとも言わんで。ほんといい根性しとるよ」と善男が笑った。

「もうだいぶ老人ですからね、吠える元気もないんでしょう」

「そうね。じゃあ番犬にゃならんから困るやろ」

「はあ。でもこの家には盗られるものもないですし、大丈夫じゃないですか」

「けどほら、これからアキコさんこの家で一人になるわけだし。麟太郎くんもちょくちょく帰ってきてやらんと」

「……」それには答えず窓外の雨粒を眺めた。

すると広間にいた洋一が腰を上げ、煙草を一本取り出しながら言った。

「まあこの家も色々あるからな。麟太郎も帰りづらかろうよ」

「別に……」

後ろで若坊主が酔いつぶれてテーブルに伏せっている。

善男は話に興味がなくなったのか、尻をぼりぼりと掻きながら席に戻っていき、手酌で酒をあおりはじめた。

「美也ちゃん、ちょっといい」

台所から顔を出したアキコが、美也子を手招きした。

「あ、うん」と美也子が答える。

そして席を立つと、台所の方に歩いていった。

「おい、あの二人どうなんだ？」

洋一が煙草をくわえたまま、麟太郎に訊いた。

「どうって？」

「関係だよ、美也子とアキコの関係。あの二人うまくやっとるのか？」

「さあ知りませんけど、どっちでもないんじゃないっすかね」

「どっちでもないはなかろうが、どっちでもは。これでもおれたちはな、お前らのことを心配しとるんぞ。日登志とアキコが結婚したときもそうだ。親戚中に心配ばっかしかけとったろうが。大体この辺の土地じゃ、あんな結婚はなぁ――」

「……普通だよ」

麟太郎が低い声で、吐きすてた。

洋一は甥が何と言ったのかわからず「はあ？」と聞きなおした。

するとと麟太郎は「そんなの普通だって言ってるんですよ。東京じゃ珍しくも何ともないよ」と声を荒げ、洋一を睨みつけた。

半開きになった台所の引き戸の向こうから、麟太郎の声が聞こえてきたが、酒席の戯言だと笑いながら美也子は取っ手に手をかけた。

戸を閉めたとき、美也子は小さく揺れるのれんを見た。木製の丸い珠が繋ぎ合わさった珠のれんはどことなく昭和の匂いがした。誰かがその下を通るたびに、カランカランと乾いた音をたてて揺れる。その音を聞きながら「ああ、いつもと同じ音だ」と懐かしさを感じた。のれんは幼い頃から変わらずにぶら下がったままで、父が通るときは父の音が鳴り、シュンが通るときはシュンの音が鳴った。

「みんなは？」

流しで手を洗いながらアキコが訊いた。

「ああ、いい具合に酔っぱらっとるよ。あの人たち」

「康介くんは？　ちゃんとご飯食べてるの？」

「平気平気、あいつはもう何でも大丈夫やから」

アキコは困ったような顔を見せた。

美也子は「それよりさぁ」と母の顔を覗き込んだ。

「ほんとうにパパって、遺言に料理のことなんか書いとったん？」

「さあ、どうだろ」

蛇口をひねり、アキコはさっと手を拭いた。

美也子はそれ以上口を開こうとしないアキコに「はは」と声を漏らしながら、なにげなく台所を見渡した。

よく見ると壁の塗装が新しくなっている。パパが塗り直したのかもしれない、と美也子は思った。それと食器の配列も変わっている。そんなことを考えながら、いつも朝食を食べていたダイニングテーブルに視線を移した。

そこにはラップされたボウルと、餃子の薄皮を乗せたステンレス製のバットが置かれていた。

「ふうん、餃子だ」

傍らでアキコがエプロンの紐（ひも）を締めなおした。そして椅子に掛けてあったもう一枚のエプロンを手にし、美也子にそっと渡した。

「え、なに？」

「餃子、手伝ってほしいの。私、このとき家にいなかったから。だから作り方よくわからなくて。たしかシーチキンも入れたんだよね？」

アキコはキッチンワゴンからシーチキンの缶詰を取り出した。それを餃子の下準備がされたテーブルに置き、ボウルのラップを剥がした。

美也子は「シーチキン」という単語を心の中で反復させてみた。

いつだったか「魚の中で、何がいちばん好きか」をみんなで話したことがあった。彼女は鮭のムニエルと言い、麟太郎は海老フライと言った。そしてシュンは「シーチキン」と答えた。それを聞いた美也子は「シーチキンは魚じゃなくて商品の名前だよ」と笑った。すると脇から父が「シーチキンも魚だ」と口を挟み、喧嘩がはじまった。二人はいつもこうだった。意見がぶつかると互いに譲れなくなった。けれど今となっては、どうしてもっと互いの言葉を聞かなかったのか後悔が残る。ほんとうはどうでも良いことばかりだったはずなのに……。

テーブルの上ではアキコが餃子の具を捏ねはじめている。

美也子は椅子を引き、母の向かいに腰を下ろした。

「あなた、いつも手伝ってくれてたよね」

「……うん」

美也子は母の顔を見た。

「でも餃子のときだけだった」

アキコは笑いながら「そうね」と答えた。

「ねえ、お母さん。昔から訊こうと思ってたんだけど」

「なんだろ?」

「わたしが高校生だったとき、お母さん、一週間くらい家を空けたよね?」

「そうね」

「あのとき、どこに行ってたの?」

「……」アキコは黙ったまま手を動かしている。

「わたしすごく不安だったの。あの日もたしか餃子を作るはずだったよね? けど誰かから電話がかかってきて、お母さん、随分話し込んだあと、わたしが呼びに行ったらその場に倒れ込んでて……」

アキコはやはり答えることはしなかった。美也子はそこで話を止めた。

テーブルを挟んで数十センチのところに向かい合っているのに、美也子には手が届かない場所にいるように感じられた。

十五年前のあの日と同じだ。と美也子は思った。

シーチキンの餃子

その日の空は妙に綺麗だった。

美也子はダイニングテーブルのいつもの場所で、ジーニアスの辞書を片手にテスト勉強をしていた。それは高二の秋のことで、彼女は十七歳になっていた。家族が暮らしはじめて五年の歳月が流れていた。

その日、母が珍しく「ご飯の準備を手伝ってほしい」と言った。

それを聞いた瞬間、餃子の日だとわかった。ほとんど料理を手伝わなかったのに、なぜか餃子を作るのだけは好きだったからだ。

だがその直後、電話のベルがけたたましくこの家の誰かを呼んだ。

このとき日登志と麟太郎は野球中継を観ていた。日本シリーズで、地元のダイエーホークスと阪神タイガースの対戦だった。テレビから流れるスタジアムの騒がしい声が、台所まで届く。誰かがホームランを打ったのだろうか。解説者が興奮した喋りでまくし立てると、座敷から父と弟の飛び上がるような声が聞こえた。

美也子は母を待っている間、窓の外をぼんやりと眺めていた。

最初に電話を取ったとき、母は「東」の名字を名のり、普通に会話をしていた。しかし話が続くにつれてなぜか声がか細くなり、不安に思った美也子は、のれんの隙間から廊下を覗いた。そのとき彼女が見たのは、受話器を落とし、その場で脱力する母の姿だった。

野球を観ていた日登志もすぐに異変に気づき、アキコの元に駆け寄った。ゆさぶりながら何度も名前を呼んだが、彼女はただ涙を流すだけだった。美也子は身動きができずに立ちすくんだ。やがて日登志がアキコを抱え、二階の部屋に連れていった。

シュンが帰ってきたのはそれからしばらく経ってからだった。

のれんの乾いた音がして、シュンが台所に入ってきた。彼は、台所に美也子と麟太郎がいることにすぐには気づかなかった。シンクの横に作りかけの餃子が放置されていたからだ。まな板に包丁と水気を失ったニラの束が、そのまま置かれていた。シュンは美也子が唾を飲む音を聞いて、ようやく二人の存在に気づいた。

しばらくすると台所にアキコの泣き声が伝わってきた。

小さかった泣き声が徐々に大きくなり、しゃくりあげるような嗚咽（おえつ）に変わった。美也子はそんな風に人が泣く声を初めて聞いた。まるで深い森に棲む野生の生き物みたいに、箍（たが）の外れた声だった。それはあまりに生々しい音で、彼女はおもわず両手で耳をふさいだ。

二階からおりてきたアキコは、大ぶりのボストンバッグを抱えていた。そして泣き腫（は）らした目のまま言葉もなくこの家をあとにした。美也子はそんな母を直視できず、台所ののれんに顔を隠した。玄関の戸が閉まるのを見届けた日登志は、視線を落としたまま土間を見つめていた。サイズも形も異なる靴と靴の中に、不自然に空いた隙間を、じっと。

しばらくして子供たちの視線に気づくと、「みんな腹減ったよな」と無理に笑い、台所に消えていった。

カチリカチリと座敷にぶら下げられた古い時計が鳴っていた。それは普段より不安定なリズムに聞こえた。

子供たちは座敷の、何も並べられていないテーブルを、重い表情で囲んでいた。美也子は少し開いた襖の隙間から台所を見た。父が立ちすくんでいる。手を洗った水道の蛇口が閉まり切っていないのか、シンクに切れ切れの水が流れ続けていた。

時計が十一時と十分を差していた。

もうすぐシュン兄の誕生日だ。ふと、美也子は思った。古時計の時刻とシュンの誕生日がたまたま同じで、十一月十日は彼の二十二歳の誕生日だった。今年もどこかへ外食に出かけるのだろうか？　去年はたしか商店街にあるレストランに行った。パパのアイディアでお店の電気を暗くしてもらい、ロウソクの灯（とも）ったケーキを出してもらったけれど、みんなで歌ったバースデーソングが歌い出しから合わず、ぐだぐだになりそうだった。でもお母さんが指揮者みたいに指先で合わせて、最後のフレーズでようやく乱れのない音が重なった。シュン兄は照れくさそうな顔をしていたけど、やっぱり嬉しそうだった。

そんなことを考えていたら、美也子の気持ちがいくらか楽になった。ほんとは次にやらなければいけないことを知っていた。「わたしがお母さんの代わりをしなきゃいけない」と美也子は思った。どこまで代わりをやれるかなんてわからないけれど、それはそれで良いじゃないか。そう考えると、美也子の足は自然と台所に向かっていた。

炊事場に入り、流しまで歩くと美也子は手を洗い、蛇口の水をぎゅっと止めた。そして父親を見た。日登志もようやく隣に立つ娘に気づいた。

そのとき二人の目がしっかりと合った。

美也子は袖をまくり、包丁を持った。切りかけのニラを刻み、足りない具材を補充しようと冷蔵庫を開けた。母のレシピを知らなかったから、何となくキャベツとネギを取り出した。そのときキッチンワゴンにシーチキンを見つけた。シュン兄が好きだと言っていたから、混ぜてみた。美也子はボウルの中に、刻んだニラとキャベツとネギ、それにシーチキンを加え、それらをぎゅっと捏ねはじめた。

気がつくと、シュン兄と麟太郎も台所にいた。日登志もようやく手を洗い、アキコの残していった皮を真似ようとした。

ずっと黙り込んだままだったけれど、誰も手を止めようとはしなかった。不揃いなカタチの餃子だったけれど、それはすごくおいしかった。

*

あれから十五年が経ち、母と餃子を作ることもなくなってしまった。

美也子は、あの夜四人で並んで餃子を作った洗い場を見つめた。もちろんそこに人の影はない。あるのは十五年前の記憶の残影だけだ。美也子は深く息を吸い込んでみた。母に聞こえないように、そっと。そして立ち上がると洗い場で手を洗い、再び母の向かいの席に腰を下ろした。

それは二人が餃子を作っていたときに座っていた「いつもの場所」だ。

テーブルに置かれたボウルの中には、母が練り込んだばかりの餃子の具が入っている。そこから仄(ほの)かにシーチキンの匂いがした。

美也子は左手で皮を持ち、具材をのせた。それからリズミカルな動作で皮の端に水を付け、手際よく餃子の形を作った。それは美也子の好きな作り方だった。

作っている間、母が言葉を発することはなかった。

娘もそれ以上何かを訊くことはしなかった。

ただ今は餃子を作る心地よいリズムだけが、夜も更けてきた通夜の台所に、静かな音を奏でていた。

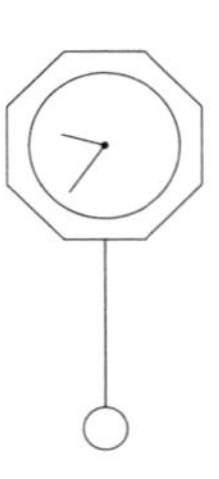

「貴様っ」洋一の怒号が飛んだ。「それが年長者に向かって利く口かよ！」

時刻が夜九時半を回った頃だった。

伯父に胸ぐらをつかまれた麟太郎は熱（いき）り立っていた。

「ふざっけんなよ。そんなエラいんかよ、歳とってっと。よその家に土足で入り込むくらいあんたエラいとかよ」

「なんちゃ、このくそガキがぁ」

そのとき麟太郎のシャツが、音をたてて破れた。勢いのまま廊下に転がり、焼きたての餃子を運ぶ姉に、激しくぶつかった。それにも気づかずすぐさま起き上がると、感情のまま怒りをぶちまけた。

「あんた今朝何つったよ、親父が死ぬ寸前に。あんたクソみてぇに平気な顔して、お袋に葬儀屋の番号、渡しよったたろうが」

「はあっ、当たり前やろうが。死んだら葬儀屋に電話するのは常識やろうが」

「馬っ鹿じゃねえのかよ。何で身内の空気、読めねぇんだよ」

そう言いながら麟太郎の足が、畳に散った餃子を無慈悲に踏み散らした。

「いい加減しちょれや、貴様」洋一が甥を睨め付けながら言う。「ろくすっぽ親父の見舞いにも来てやらん奴が身内づらして空気読めやとぉ？　お前、どの口がそげんこと言いよっとか？」

麟太郎の熱った表情は見る間に温度を下げた。

「言うてみろ。何回見舞い、来たんか？」

「……仕事が」

「はあ、何が仕事か？　何が家族か？」洋一の声が上ずる。「さっきからお前が言うとることは、ただのガキの戯言やないんかよ」

そう言い、洋一は、甥の目の奥を覗き込んだ。麟太郎は何も言い返せず、おもわず視線を外した。

胸ぐらをつかむ手にはもうほとんど力が入っていない。洋一は自分から手を離すと、さっきまで座っていた席へと歩き、腰を下ろした。

足裏がやけに生ぬるく、湿っていた。

麟太郎は餃子を踏んでしまったことにようやく気づき、姉を見た。姉は無表情に散らばった餃子を見つめている。

何か言おうとしたが言葉が出ず、その場から逃げるように階段を上った。

二階へ続く階段の上段に、麟太郎は座っていた。

下の広間では徐々に賑わいが戻り、笑い声が聞こえてきた。おそらく善男が何事もなかったかのように馬鹿話をはじめたのだろう。その声が、耳に痛かった。

薄暗い二階の廊下、そのつきあたりの扉がすきま風で揺れた。

扉が数センチだけ開いている。奥には父の部屋があった。麟太郎が最後にこの部屋に足を踏み入れたのは遠い昔だった。

少しためらったが、立ち上がり、麟太郎は階段の最後の数歩を上った。

部屋の中は思ったよりも、もっと暗かった。

カーテンが閉じた二つの窓から外光が入ることはなく、風が窓ガラスを強くゆさぶる音だけが聞こえた。麟太郎は足元に注意を払いながら部屋の奥へ進む。そして天井から垂(た)れ下がった細い紐を手に取り、それを引いた。

カチリと音が鳴ると、部屋全体を鈍い光が照らす。

まず視界に飛び込んできたのは、部屋の隅にある介護用便器だった。それを見て、麟太郎は眉を寄せた。ベッド脇の折りたたみテーブルには湯飲みや複数の薬が並べられ、床には簡易型の人工呼吸器の器具が置かれていた。

麟太郎はおもわず目を逸らし、部屋の奥にある古びた木目調のデスクを見た。そこには使い込まれたライカのカメラが置かれていた。本棚には多くの書籍と、山々の名称が記されたフォルダーが数十冊、隙間なく並べられていた。そして壁に掛けられたいくつもの写真には、登山隊の先頭を歩く父や、雪山の山頂で歓喜する父など、若かりし日の姿があった。

ひとしきり部屋を見回した麟太郎は、枕元に備え付けられた小棚に、木枠の写真立てが置かれているのを見つけた。

ベッドを迂回(うかい)するように歩き、写真立てを手に取る。そこには幼い頃の自分がいた。姉も、父も、母も、シュン兄もいた。それは初めて家族五人で山に登ったときに撮られた写真だ。みんな屈託なく笑っている。

ポケットの携帯が震えたのはその直後だった。

麟太郎は慌てて写真を元の位置に戻し、通話ボタンを押した。

「――あ、もしもし麟太郎くん。お通夜大変だったでしょう」

三岡の声が、部屋に響いた。

「あの、コンペの方は」

「うん。コンペね、コンペ」

「……駄目ですか」

「いやあ、良いとこまで行ったんだよ。麟太郎くんを推す声もあったんだから。ただ最後の最後で、ね」

「……」

「まあでも今回は麟太郎くんも色々大変だと思うしさ。久しぶりにご家族とも会えてるわけだし。こっちのことは一旦任せてゆっくりしてきてよ」

ひと通り三岡が話し終えたあと、麟太郎が口を開いた。

「あの、三岡さん――」

「え、なに?」

「おれの写真。どこが駄目なんでしょう」

「いやいやいや、そういうんじゃなくって」

「あの、知りたいんです」

電話越しに、言葉を探す三岡を感じる。

「——そうだね。本音を言うとね」

「はい」

「冷たいんだよね、麟太郎くんの写真」

「冷たい……」

「そう、被写体に愛情ないの。そう感じちゃうね」

三岡は重い口調でそう言ったが、すぐに元の声色に戻った。

「でもね、それってカメラマンの持ち味でもあるから一概には何とも言えないな。何となくそう感じちゃってるのかもしれないね」

電話の奥で三岡を呼ぶ声がする。

「じゃ俺、そろそろ打ち合わせだから」

「……はい」

「まあ、今回はそういうことで。ごめんね」

そう言うと、電話が切れた。

再び静まりかえった部屋で、麟太郎はたった今交わされた会話を思い起こした。被写体への愛情を感じない――その言葉が胸裡にこだまする。一旦心を落ちつかせようと、デスクの古椅子を引き、腰を下ろす。そして携帯電話を持ちなおし、履歴から「小畑理恵」の番号を選び、電話した。

ルルルルル、耳元でコールする音が聞こえる。麟太郎は誰かと話をしたかった。どんな話でもいい、とにかく話す相手が欲しかった。ルルルルル、コールする音は麟太郎を少し不安にさせた。さっき理恵と話したとき、気まずい切り方をしてしまった。ここ最近会話がすれ違うことも多かったが、今日のことはおれから謝ろう。ルルルルル、コールする音は電話の相手を探した。小畑理恵という名前を淡く光らせながら。それから十二回のコールが耳元で鳴り終えたあと、麟太郎は携帯電話を叩き切った。

荒々しく立ち上がると、体の一部がデスクのペンスタンドに触れた――。

使い古された鉛筆がベッドの下に転がり落ちる。麟太郎はため息を漏らした。腰をかがめると、鉛筆がかなり深いところまで転がっているのが見える。もう一度短い息を吐き、手を伸ばしたとき、何かが指先に触れた。それは「木造りの箱」だった。厚みのある書類ほどの大きさの箱が、忘れ去られたようにその場所に眠っていた。

麟太郎は鉛筆を拾いペンスタンドに戻した。そして「木造りの箱」をベッドの下から引きずり出すと、軽く埃をはらい、両手でそっと蓋を開けた。

中に入っていたのは三冊のアルバムだった。二冊は厚めのアルバムで、もう一冊はひとまわり小さいサイズのものだった。はじめに麟太郎は、厚めの二冊を開いてみた。そこには美也子と麟太郎が成長していく過程を収めた写真が、丁寧に貼り付けられていた。おそらく父が愛用のライカで撮ったものだろう。麟太郎はそれらに一通り目を通し、小さめのアルバムを開いた。

表紙をめくった瞬間、麟太郎の手がぴたりと止まる。そこに収められていたのはずっと昔、子供の頃に麟太郎がシャッターを切った写真だった。

アルバムの日付は「2003年10月28日」からはじまっていた。

ライカを借りて麟太郎が一枚目に撮ったのは父だった。二階のこの部屋でぎこちなくシャッターを切った。ピントなどろくに合っていなかったが、はにかんで笑う父の姿が写っていた。――麟太郎は次のページをめくった。ボーリングに行ったときの写真があった。姉とシュン兄がハイタッチしている。――またページをめくる。夕暮れの写真だ。この日、珍しく姉とシュン兄が一緒に帰ってきた。カメラを向けると照れ臭そうな顔をしていたのを覚えている。――次々とめくられていくアルバム、そこに並べられたほとんどの写真にピントは合っておらず、ほとんどの構図はデタラメだ。けれど、今の麟太郎から見るとハッとするほど面白く、生き生きとしていた。

なぜだろう、どうしてこんな表情をフレームに収めることができたのだろう。麟太郎は十一歳の自分にひどく嫉妬した。

ふと裏表紙を見るとボールペンで「Photo by RINTARO」と書かれている。おそらく父が書いたのだろう。力強い文字がそこには躍っていた。

❖2003年10月28日
父を撮った写真。数枚

年季の入ったデスクでライカを手入れする父親の後ろ姿を、麟太郎は見ていた。

日登志がカメラのボディを専用のクリーニングクロスで磨いている。

麟太郎は十二歳になっていた。再来月の誕生日で、もう十三歳になる。声変わりはまだだったが予兆はあった。最近声にかすれた音が混ざっていたからだ。

麟太郎は視線を棚に移した。

登山記録がファイルされたフォルダーを手に取り、「これ、どこの山?」と訊いた。

日登志は作業の手を止めることなく、「大分の九重山(くじゅうさん)に行ったときのやね。シュンと初めて泊まりで行ってきたな」と言った。

「またピザだったの?」

野営のテントの前でピザを頬張っているシュンが写っていた。

「そうやね」日登志は笑った。

「じゃあ、これは?」

「これは翌月に登った山やな。駅まで送ってくれたろ」

麟太郎は首を傾げた。

「覚えとらんか？　お母さんといっしょに手、振ってくれとったよ」

「……そうだね」

小声で言い、麟太郎は話すのをやめた。

「どうかしたんか？」

日登志が手を止め、振り返ると、麟太郎が視線を落としたまま塞ぎ込んでいる。

椅子から立ち上がり、日登志はベッドに座る息子の隣に腰を下ろした。

「言いたいことは抱え込まずにちゃんと言ったほうがいいから」

麟太郎はしばらく床を見たあと、しぼりだすように言った。

「ねえ、お父さん」

「どうした？」

「お父さん、お母さんとけんかしたの」

日登志は首を振った。「喧嘩なんてしとらんよ」

「けどお母さん……泣いとった」麟太郎の声は震えている。

一昨日の夜、この部屋から母の泣き声が聞こえていたのだ。

日登志は息子の肩を抱き、笑ってみせた。

「なんも心配せんでいい。お母さんすぐ戻ってくるから」

父の言葉に麟太郎はちいさく頷いた。

日登志はもう一度息子の肩を抱き、「なあ、麟太郎」と言った。

「なに」

「写真、撮ってみたいか?」

麟太郎はまた頷く。今度は笑っていた。

日登志は「よし」と言ってライカを手渡し、使い方を教えた。

生まれて初めての写真は父のポートレイトだった。ピンボケすぎてポートレイトなどと呼べる代物ではなかったが、それが麟太郎の撮った最初の写真だった。

日登志は撮られることに慣れていないのか、シャッターを切る瞬間、しまらない顔で笑った。そして麟太郎に、明日休みを取るからどこかに出かけよう、と言った。父がそんな風にして休みを取ったのも初めてのことだった。

❖ 2003年10月29日
ボーリング場で撮った写真。

栄町プラザボウルの駐車場は賑わっていた。

三十台は停められるはずのパーキングスペースがほとんど埋まっている。軽トラが碁盤の目のような隙間をぬって、ようやく空きスペースを見つけた。麟太郎とシュンが勢いよく荷台から飛びおり、美也子も助手席から二人の元に駆ける。子供たちはやっと運転席から降りてきた父の手を引きながら、入り口へと向かった。

スパンッ。ピンの弾け飛ぶ音が隣のレーンから聞こえてきた。ボーリング場は喧騒と笑い声に包まれていたが、美也子はなるべくそれらの音を排除しようと意識を集中させ、目の前に並ぶ十本の真新しいピンだけを見つめた。「がんばらんか、美也子!」と叫ぶ日登志のかけ声にも集中を削がれたが、もっとも腹立たしかったのは足元でカメラを構える麟太郎の姿だった。

「やめんねあんた、ぜんぜん集中できんやろ」

美也子は睨みつけるが、麟太郎はかまわずシャッターを切る。

一投目を投げた。手から離れたボールは不格好に跳ねると、そのままレーンを外れ、左隅の溝にぽとりと落ちる。背中から三人の冷やかす声が飛び、美也子はふて腐れた表情を見せた。次に投げたシュンのボールは、かろうじてレーンをゆらゆらと転がったが、倒したピンは三本だけだった。そして日登志がボールを構えると空気が変わった。フォームがあきらかに素人ではない。軽く助走を取ると、右腕を精巧な振り子のように動かし、ボールを離す。レーンの上を黒く重厚に光る球が、美しいカーブを描いてピンの中心に吸い込まれ、心地のよい破裂音と共に、全てのピンが弾け飛んだ。

東家のレーンは一瞬にして歓喜にわき、固唾(かたず)をのんでいたシュンと美也子がおもわずハイタッチした。

麟太郎は父から借りたライカを構え、夢中でシャッターを切った。

❖２００３年10月31日
夕焼けの空、美也子とシュンの写真。

美也子はバスの中、流れてゆく秋の景色を見つめていた。

車輛はプラザボウル前を過ぎ、次の停留所に停まった。扉が開き、乗降する客が入れ替わる。そしてバスが動きはじめる直前、「よおっ」という聞きなれた声がした。

「あ、いま帰るところ？」と美也子が言った。

乗客の間をぬって、シュンが隣の席に座る。

「珍しいよな、おんなじバス」

「そうやね。珍しい」

美也子は笑った。けれどそれ以上の言葉がうまく浮かばなかった。


日向橋で下車したのは二人だけだった。

わずかな乗客を乗せたバスの長い影が遠くなっていく。

二人はバスを見送ると、のんびりとした足どりで日向橋を歩きはじめた。

「いま、なんの勉強しとるの？」

美也子は、半歩先を歩きながらシュンに言った。

「ああ、政治経済」

「それって、どこに就職できるん」

「銀行とか公務員とか、鉄道会社とか」

「げっ、地味やね」

「まあ、そんなもんだろ、大体」とシュンが笑った。

美也子は振り向きながら訊いた。

「卒業したらどうすると?」

「とりあえずバイト」

「就職せんの」

「どうだろ」

「なんで?」

美也子が尋ねると、シュンは言葉に詰まった。

そして照れ臭そうに「山に、登りたいんだよね」と言った。

今度は美也子が言葉を見つけられず、それって趣味やろ、と軽口を返すが、シュンのまっすぐな目を見ると、それ以上喋るのをやめた。

秋の空がちぎれた雲を漂わせ、赤く染まっている。知らぬ間に二人は並ぶように歩き、足元にさらさらと、微かなせせらぎを感じながら日向橋を渡りきっていた。

「あのさ」

突然シュンが、歩みを止めた。

「……ご飯とか。ありがとう」

「え、なんね急に」美也子が戸惑う。

「ほんとはおれの母親の、仕事だから」

「そんなの、普通やろ」

「……」シュンは黙っている。

美也子はそんなシュンに笑ってみせた。「普通のことやろ?」

シュンもつられて少しだけ微笑み、「そうやね」と呟いた。

ふと出た方言が、妙におかしかった。

シュンも笑われている意味にようやく気づき、照れ臭そうにアゴをさすった。

二人は家まで続く坂道をまたゆっくりと歩きはじめた。近所の犬が吠えている。坂の下まで伸びた二人の長い影が、たわいもない会話を楽しんでいた。

❖ 2003年11月2日
庭掃除をする父、昼寝をするシュン。

朝方短い雨が降った。

正午すぎに電話が鳴り、麟太郎が受話器をとった。母だった。

麟太郎は少しだけ会話をしてすぐに父を呼んだ。電話に出た父は、思ったより落ちついて話をしていた。一、二分ほど言葉を交わし、帰りの時間を聞くと「またあとで」と言い受話器を置いた。そして日が暮れると軽トラで迎えに出かけた。

母が戻ってくるまでの間、子供たちは台所で五年前の初夏のことを思い出していた。初めて家族が顔を合わせた日、母は救急車で運ばれた。盲腸だった。あのときの父は、今日とはまったく違い、驚くほどうろたえていた。その姿を思い出して子供たちは笑った。

一時間が過ぎ、軽トラの壊れそうなエンジン音が聞こえ、犬小屋からタロが吠えた。玄関の磨りガラスに滲んだヘッドライトの光が消えると、砂利道を歩く父と母の足音がした。タロの甘えた声がする。台所の子供たちも腰を上げ、二人を出迎えに向かった。

玄関の引き戸がガラリと開き、母が入ってきた。

アキコは子供たちを見て「ただいま」と言ったが、それ以上言葉が続かなかった。

久しぶりに見る母は、五年前に退院したときよりもずっと顔色がわるかった。それでも子供たちは笑顔で迎えた。

だが、アキコの沈んだ表情が晴れることはなかった。

❖ 2003年11月7日
縁側のシュン、登山道具。

金曜日の正午前、日登志とシュンは山に出かけた。

この日シュンは朝から登山の準備をはじめた。縁側に広げた道具を一つ一つ入念に確認する。確認を終えたものから順に、登山用のザックに丁寧に詰めた。

隣で見ていた麟太郎がふいに道具を手にする。

「これってなんだっけ？」

「ああ、それはハーケンだな」

「なにに使うの」

「岩の切れ目にハンマーでグッと打ち込む。そしたら逆側の穴にカラビナをかける。で、カラビナにザイルを通して岩を登るときの支点にする」

「へぇ」と麟太郎は笑った。

ハーケンはいわば鉄製の平らな釘（くぎ）で、先端は尖っている。反対側に少し大きめの穴があり、まるで頑丈な家の鍵のように見えた。カラビナは巨大なクリップのようなもので、そこに登山用のロープを引っかけ崖を登るのだという。

「昔はね。この穴もなくてただのL字型の鉄の塊だったわけ。そこにぐるぐるとロープを巻きつけるだけだから、めちゃくちゃ危なかったんだよ。だからハンス・フィーヒトルって人が、穴を付けたら便利だ、ってことを思いついてフィーヒトル・ハーケンを開発したんだ。およそ百年くらい前にね」とシュンは饒舌(じょうぜつ)に語った。

麟太郎は、兄と山の話をするのが好きだった。

山のことを語るシュンの言葉はいつも熱を纏っていた。自分の目で見た光景を、その場にいるような臨場感で語り、知り得る知識を余すことなく伝えたからだ。

「麟太郎はさ、何になりたいんだっけ?」

「なんだろ。そんなのまだわからないよ」と肩をすくめた。

あまりに急な問いかけに、カメラマンと答える準備ができていなかった。

「そういえばさ」と麟太郎は言った。「シュン兄、今度山登り教えてよ」

シュンは意外そうな顔をした。「どうしたんだよ急に」

「だってシュン兄、山のこと話してるとき、めちゃくちゃ楽しそうじゃん」

シュンは照れくさそうに笑った。「いいけどもうちょっと大きくなってからだな」

麟太郎も笑った。「めんどくさがらずにちゃんと教えてよね」

「わかってるって。教えるよ、みっちりと」

「やくそくだからね」

シュンは大人びた表情で「約束する」と答えた。

よく晴れた空だった――。

ザックを担いだ日登志とシュンが坂道を下っていく。

麟太郎が二人に声をかけると、シュンは振り向き、片手を大きく上げた。そして満面の笑みで手を振った。何度も、シュンは弟に手を振った。だが日登志は一度も振り返ろうとはしなかった。


夜になってシュンから電話がかかってきた。

日帰りの予定だったが、急に日登志が泊まろうと提案したらしい。

夕食の準備を手伝っていた美也子は受話器の向こうのシュンに文句を言った。もちろん本気で怒っていたわけではない。電話を切る前には別の話題で笑っていた。

麟太郎も電話を代わり少しだけシュンと話をした。シュンは笑っていた。その笑い顔が想像できるくらいに。

❖ 2003年11月8日
犬小屋とタロ、朝の空。

朝からテレビのニュースが、台風の情報をしきりに流し続けていた。例年よりかなり遅めの、勢力の強い台風が九州に接近しているのだという。

下山し、二人が帰路についたのは昼すぎだった。ちょうど麟太郎がタロに餌をあげていたとき、シュンと日登志の歩く姿が見えた。二人を見て麟太郎は反射的に手を振った。けれどその指先はすぐに止まった。シュンの顔にまったく表情がなかったからだ。シュンは日登志と肉体的な距離をとるように早足で歩き、麟太郎の方を見向きもせず、靴を脱ぎ、自分の部屋に入っていった。対照的に日登志の足取りは重かった。麟太郎の前を横ぎる瞬間、無理に微笑もうとしたが、その頬は引きつっていた。

陽が落ちて、夕食の時間になってもシュンは家族の前に姿を現さなかった。

美也子が父と母にそのことを問うが、答えは返ってこない。そして父と母は何事もなかったように食事をはじめた。

テレビのニュースが騒がしい。明日の夜、台風が福岡に上陸するのだという。

❖ 2003年11月9日

雨の空。

❖ 2003年11月10日

写真は一枚もない。

ここまでアルバムをめくると、麟太郎は手を止めた。

夏の通夜の夜にもあの日と同じように台風が来ようとしている。とても皮肉なことに。

麟太郎は少しだけカーテンを開け、雨粒を弾く窓ガラスから庭先を見おろした。もうそこまで台風は来ているようだ。麟太郎はこれ以上ページを進めることなく、静かにアルバムを閉じると、元の木箱の中にそっとしまった。

姉のラーメン

十五年前の台風の夜のことを麟太郎ははっきりと覚えていた。

激しく地面を叩く雨の音も、ぬかるんだ庭を走る長靴の泥も、今にも吹き飛ばされそうな犬小屋も、震える子犬を抱きかかえた父の背中も——断片的ではあったけれど、鮮明に記憶していた。

下の階から善男の声が聞こえた。「おい麟太郎くん。ちょっと手伝ってくれんかね」

麟太郎は階段をおりると玄関にたまる親戚たちを見た。「どうしましたか?」

「いやあ犬小屋よ。このままだと風で屋根、もっていかれるんじゃないか?」

小屋の老犬を避難させようと、康介と井住が靴を履いている最中だった。麟太郎も玄関にかけてあったカッパを羽織り、急いで外に出た。

「どうね。ワンちゃん大丈夫かね」軒下から善男が言った。

麟太郎は凍える老犬の鎖を外し、抱きかかえた。「ええ、なんとか」

思ったよりもずっしりとした老犬を玄関に運びながら、麟太郎は鼻先にラーメンの匂いを思い出した。それは昨夜病院で食べた麺がのびきったラーメンではなく、パーキングエリアで昔の彼女と食べたラーメンでもない。もっと懐かしいラーメンの匂いだった。

けれどそれは、今まで食べたどんな料理よりも哀しい味がした。

*

「タオル！　麟太郎、タオル持ってこい」

嵐の中、父が子犬を抱えながら、叫んでいた。

麟太郎は急いで洗面所に走り、タオルを二、三枚つかむと、玄関の雨よけで待つ美也子に投げるように渡した。犬小屋から駆けてきた父は、震える子犬をタオルに滑らすように包み込ませた。父は激しく雨にうたれていたが、子犬を抱える姉を見てほっとした顔をしていた。

そのとき、「アアッ」という美也子の、悲鳴のような声が響いた。

ちょうど麟太郎が目を離した瞬間だった。

驚き、振り返ると、豪雨の中で父が沈むように倒れる姿が見えた。足元には強風で飛ばされた太い枝が落ちている。父は頭を抱え込みながらぬかるみに転がった。

「お母さん、シュン兄っ！」麟太郎はとっさに叫んだ。

その声に即座に反応したシュンが、部屋の扉を荒く開き、駆け出してきた。

「はやく、はやく。はやくっ！」

麟太郎は夢中で叫び続けた。

シュンは麟太郎の脇を抜けると靴も履かずに外に飛び出し、父の体を抱きかかえ、家の中に運び込んだ。そして力一杯、玄関の引き戸を閉めた。麟太郎も美也子もガタガタと震えていた。おくれて駆けつけた母が日登志の名を何度も呼ぶと、父は顔をしかめて唸(うな)り声を漏らす……おそらく重症ではない。麟太郎はほっと安堵した。

降りそそぐ雨は未だやむ気配がない。季節外れの台風は、ニュースの抑制された情報よりも遥かに強い被害をこの地域に与えていた。

座敷では、父が濡れた髪をタオルで乾かしている。傍らで母は、熱めのお茶を湯飲みにそそぎ、時折顔をゆがめる父にそっと渡す。麟太郎は、体を湿らせたまま無言で座っているシュンを見た。シュンの視線は誰かに向けられているわけではない。ただテーブルのどこでもない一点を見つめていた。

台所で湯の沸く音がする。姉が包丁で何かを切っていたが、手を止めて、コンロの火を消した。いまにも吹き出しそうだった音がおさまると、また包丁の小気味よいリズムが戻ってきた。

「雨、すごいね」

麟太郎がシュンに話しかけるが返事はなく、やはり一点を見つめたままだ。

手に持った湯飲みを口につけると、日登志は熱めのお茶を少しずつ喉に流し込んでいく。十分に時間をかけてそれを飲み終えた頃、美也子がお盆を抱えて座敷に入ってきた。

「夜食、つくった」

テーブルに置かれたのは五人分のラーメンだった。

お盆にのせられた小ぶりの器から、白い湯気があがる。麺の上には、厚切りのチャーシューと刻まれたネギ、ゆで卵、紅生姜（べにしょうが）が添えられ、麺汁はラー油がほどよくにじんだ白湯の豚骨スープだった。丁寧に盛り付けられた器からは、最後まで手を抜かなかった美也子の気持ちが十分に伝わってきた。

「ああ、旨そうやね。ぼくこれにする」

麟太郎はいちばん大きなチャーシューの器を、自分の元に寄せた。

「なんねあんた。欲ばりやな」

美也子が笑う。そして一人一人の元にラーメンと箸を回していった。

「パパ、冷めんうちに食べんと」

「そうだな」

父は小さな声で頷き、箸を持った。

「そう言うたら」と美也子がシュンに微笑む。「明日ほら。シュン兄、誕生日やろ」

シュンは答えない。

「ねえパパ、今年も外でお祝いする?」

父も、何も答えない。

「ねえ、パパ……」

美也子の言葉は虚しく散った。彼女の問いかけに誰かが答えることはなく、ただ麺を啜る音だけが聞こえている。

そして静けさは麟太郎の手を止めた。

麟太郎は父と兄の顔を交互に見た。二人とも麺を啜っていたが、視線が器に向いているようには感じられなかった。どこを見ているのか、何を考えているのか、二人の表情からうかがい知ることはできず不安に駆られた。そしていま、麟太郎は誰かの口から決定的な言葉が発せられることに、ひどく怯(おび)えていた……けれどそれは発せられた。

シュンは麵を残らず平らげスープを最後まで胃に流し込むと、丁寧に箸を置いた。

そして言った。

「おれ、明日ここを出る」

日登志はそれを聞き、短く息をのむと、

「そうか」とだけ呟いた。

いつの間にか、この部屋からラーメンを啜る音が消えていた。

麟太郎は二人の会話をうまく咀嚼(そしやく)できず、手の震えで箸の擦(す)れる音が聞こえそうになるのを必死に抑えていた。

「二人とも。どうしたん?」美也子が沈黙を破った。「だって、明日、シュン兄の誕生日やし、来月は麟太郎の誕生日やし、クリスマスだってもうすぐ来るし。お母さんだってほら、ちゃんと帰ってきたやないの。あんた、お母さんのことすごい心配しとったけど、ちゃんと家に帰ってきたんよ。だからみんなでお祝いできるんやないの? 楽しみにしとったやろ?」

シュンはやはり何も言わず、ラーメンの器をじっと見つめた。けれどその目は微かに揺れている。

「どこに行くつもり?」美也子が訊いた。「あんた、こっから出ていくとか言いよるけど、いったいどこ行くつもりなんよ?」

そう言いながら美也子は自分が「出ていく」という言葉を使ったことに動揺し、とうとう堪えきれずに涙した。シュンは妹の涙を直視できず、下を向いた。そしてこの場を離れようとした。

「シュン兄」美也子が叫んだ。

しかしそれを遮るように日登志が言った。「美也子、すまんな」

家族の言葉はそこで途切れた。

聞こえているのは降りやまぬ雨の音だけだ。

シュンは静かに立ち上がった。そして二歩、三歩、重い足を動かし、座敷の戸に手をかけた。美也子はそれ以上言葉を見つけられず、ただ泣いている。父と母は感情をのんだまま表情を変えない。けれど麟太郎は抑えていた気持ちを吐き出すように言った。

「嘘つき」

シュンの動きが止まった。麟太郎は続けた。

「こないだシュン兄、約束したよね。ぼくに山登り教えてくれるって約束したよね？」

背中を向けたシュンに、荒いだ声をぶつけた。

「シュン兄、嘘つきじゃないかっ」

*

おれが嘘つきと言った瞬間、シュン兄は唇を噛んでいた。そして出会った頃よりも随分広くなった背中を苦しそうに震わせていた。きっとおれの方を振り返ろうとしたのだと思う。けれど振り返りはしなかった。

シュン兄は戸を開けて廊下に出ると、そのまま自分の部屋に入っていった。

それが最後に見たシュン兄の姿だった。

翌朝台風は去っていて、パジャマのまま玄関を開けると、静かに砂埃だけが舞っていた。空は鈍い灰色の雲に覆われていた。犬小屋の屋根は跡形もなく飛ばされ、庭の至るところに鉢植えや木の枝が散乱していた。おれはサンダルを履いて外に出た。そして周りを見渡した。台風で荒れた庭を見たかったわけじゃない。シュン兄を探したのだ。何も言わずこの家を出た兄を、おれは懸命に探した……だけど彼はどこにもいなかった。

あれから十五年が経つ。おれはカメラマンという不安定な夢を追い、東京に出た。姉は康介さんと結婚し、やはり家を出た。東京で暮らしはじめてから、おれはほとんど家に帰ろうとはしなかった。たぶん姉もそうなのだろう。その気持ちはよくわかる。シュン兄がこの家を去って、おれたちの心にはぽっかりと穴が空いた。その穴は想像以上に深く冷ややかで、この家に留まったままでは決して埋めることのできない類の穴だった。

いずれにしてもあの日を境に、彼との一切の連絡は途絶えてしまった。

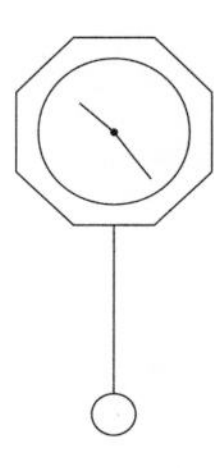

通夜の台風は十五年前ほどの激しさはなかった。
東家の庭先でひとしきり暴れたあと、風は飽きっぽい子供のように急に無口になって、あっさりとこの場所を離れていった。雨で震えていた老犬もタオルでしっかりと体を拭かれ、今では玄関の土間で寝息もたてずに眠っている。麟太郎は土間のある廊下の切れ目に腰を下ろし、足元の老犬を見つめていた。
後ろの広間から、親戚たちの会話とラーメンを啜る音が聞こえる。小ぶりな器に作られたラーメンは、老犬の救出でずぶ濡れになった弟を見かね、美也子が即席で作った。シュンが出ていったあのときの記憶と寸分違(たが)わぬラーメンが出されたとき、麟太郎は昨夜の食堂でのやり取りを思い出した。姉はラーメンを作ったことを否定していた。でもあれは嘘だと思う。姉はそのことをしっかりと覚えていた。

麟太郎は食べかけのラーメンの器を、手に取った。残った白湯に自分の顔が揺れながら浮かんでいる。仄かに苦い記憶を感じながら、器を口元に運び、麟太郎はゆっくりと汁を飲みほした。やっぱり姉の作ったラーメンの方が病院のものより遥かに旨い。

麟太郎は器を置くとサンダルを引っかけ、表に出た。

雨はもう降ってはいない。

そっと戸を閉め、湿った石畳を歩きながら、麟太郎は携帯電話を取り出した。履歴をひらき「小畑理恵」の名を押すと、いつものコール音が耳元で繰り返される。そして幾度目かのコールのあと、留守番電話のメッセージに切り替わった。定型のメッセージが機械的な女性の声で読み上げられる。やがて発信音が鳴った。

あの、もしもし、おれだけど。例のコンペ、今回もやっぱり駄目でした。なかなかうまくいかないね。あの、理恵の実家に行く話だけど。おれ、何ていうか……どうやったら良いかわからないんだ。行きたくないとかじゃなくて、どうやって良いのかわからない。家族とかが、よくわからない。自分の家族のこともわからない。なんか、ちゃんとわかってない。親父が何考えてたかもわからないし、いままで考えようともしていなかった。けど、色々考えてみたけど、結局わからなかった。……なんか、いつも勝手ばかり言って、ごめんなさい。変な電話、ごめん。明日葬式が終わったら帰ります。飛行機の時間決まったら、また連絡入れます――。

雨上がりの庭先はほどよい涼しさで、遠くから蛙(かえる)の鳴く声がした。

強風が訪れたことを嘆いているのだろうか。それとも大量の雨が灌(そそ)がれたことを祝っているのだろうか。蛙たちは声をそろえて遥か遠くから謳(うた)い続けている。

携帯をしまった麟太郎は、空を見上げた。

台風が抜けた空は澄みきっていて、薄雲から月が顔を出している。それは満月ではなく片側が欠けた半月だったが、放つ光はあたりを照らすには十分に強く、麟太郎は月明かりに照らされるわが家を庭先から眺めた。

玄関を隔てて右側の台所にはうっすらと明かりが灯っていた。洗い物をする人影が磨りガラスから透けて見える。きっと母だ。玄関から左側の広間は、この場所から見ても賑わいを感じさせ、時折からりとした笑い声が聞こえた。きっと善男の笑い声だろう。そして二階にある父の部屋は、さっき麟太郎が消し忘れた照明の光がカーテンの隙間からわずかに漏れていた。そこに人の気配はなく、もちろん父の気配もない。あの窓から顔を出して屈託なく笑っていた父の姿を二度と見ることができないと思うと、ひどく空虚な気持ちに襲われた。

麟太郎はもう一度、空を見上げてみた。

月は変わらずに半月だ。当然だが、月の満ち欠けは二、三分では変わらない。けれど半分しか光を放っていない月を見ていると、なぜか不完全な自分がそこに投影されているようで、麟太郎はどことなく居心地のわるさを感じていた。

*

畳に染みがついている。と美也子は思った。

さっきの台風のどたばたの中で、誰かがビールでもこぼしたのだろうか。それとも麟太郎が伯父さんともみ合ったときに倒れたコップの中身だろうか。そんなことを考えながら、美也子は自分の作ったラーメンの汁を飲みほした。

目玉焼きからはじまって、味噌汁、焼きいも、焼き魚、ピザ、餃子と、おおよそ通夜にふさわしいとは思えないコース料理を、お腹の中に詰め込んでいったが、台風が来たからなのか、触れたくもない記憶を引き出した反動なのか、ここにきて無性に食欲がわいた。

美也子がラーメンを作ろうと思ったのは、急な考えからだった。

老犬を抱え、ずぶ濡れで玄関に飛び込んできた弟を見て、美也子はタオルを用意しながら、何か温かいものを、と思ったのだ。

あの夜パパも、まだ子犬だったタロを抱え、同じように玄関に飛び込んできた。そして強風でねじ曲がった木の枝に叩きつけられ、倒れ込んだ。そのとき真っ先に駆けつけて、家に運んだのがシュン兄だった。あの瞬間もわたしは同じことを考え、ラーメンを作った。

けれどもう一つ、台所に行かなければならない理由があった。

わたしは、パパとシュン兄の顔を見るのを避けていたのだ。

彼らが何かを口にすることを怖れ、それを後回しにした。そこには「別れ」の匂いがしていた。

美也子は正座をくずし、脇に置いてあったお盆に、親戚たちが食べたラーメンの器を重ねていった。彼らも同じように食欲がわいたのか、ほとんど食べ残しはなかった。ただ一つ、康介の器だけは出たままの状態で置き去りにされ、湯気を失ったくたくたの麺が、濁ったスープの中で無様に沈んでいた。

康介は、「ちょっと話があるから」とだけ美也子に言い残し、ラーメンには手をつけず数分前にこの部屋を出た。なんて失礼な男だ。と美也子は思っていた。正直、別の日にしてほしかった。たとえそれがどんな内容だったとしても、通夜の日の夜十時を回った時間にする話なんて、ろくなものじゃない。

そもそも彼には空気の読めないところがある。美也子は食べ残しの器をお盆にのせながら、そう思った。今夜の宴席でもどこか浮いていた。もともと寡黙で人見知りな男だけど、こんなときくらい伯父さんたちに気を遣わせないでほしかった。大体、あいつは言葉が足りていないのだ。美也子は眉をひそめる。結婚を決めたときもそうだった。奥手で淡白なあいつとの何度目かの夜、たまたまゴムを切らし、それが的中した。二ヶ月後、お腹の中に美姫がいることを伝えたとき、あいつは多少慌てたが、話し合った末にわたしたちは結婚を決めた。けれどあの男からプロポーズのような気の利いた言葉は一切なく、簡単な式を挙げ、すぐに日常生活がはじまった。あいつが子供好きで実直だったのは家庭人としてはよかったけれど、それは裏を返すと「じつに物足りないやつ」ということになる。

美也子は全ての器を回収し、台所に運んだ。

「ありがとう美也ちゃん、ここはもう大丈夫だから」

洗い物をしていたアキコが器を受けとった。

「お料理、やっとおしまい？」

「ん、そうね。もうほとんど出しちゃったかな」

「えっ、まだなんか作る気？」

それには答えずに、アキコは淡々と洗い物を続けた。

美也子は肩をすくめ、台所をあとにした。

廊下を歩きながら、「さて」とため息をつく。話があると息まいていたが彼はちゃんと起きているのだろうか？　美姫と大輔を寝かしつけたまま一緒に眠っている可能性は高い。家でもよくやるパターンだ。そうなるときまって美也子は癇癪を起こし、康介に小言をいった。

扉を開けると、子供たちは穏やかな寝息をたてていた。

美也子はそっと腰を下ろし、二人の寝顔を見た。大輔の額にじんわりと汗が滲(にじ)んだが、楽しい夢でも見ているのだろうか、寝息と共に口元がゆるんだ。

扇風機の首が回転し、風をまんべんなく部屋にいきわたらせる。大輔の汗もその風にさらわれるように消えた。

夫は子供たちと一緒に眠ってはいなかった。康介は妻が部屋に入ってきても、何も語らず、窓際に立ったまま裏庭に視線をそそいでいた。

「どうしたんね、急に」と美也子が言った。「話があるとか言っとったけど、お母さん台所でまだ準備しとるみたいやし、さすがにわたしも手伝わんといけんから、早いとこ済まそうか」

美姫が寝返りをうち、肌かけ布団がめくれた。美也子はそれを掛けなおしながら康介を見た。

「……なんね、黙り込んで」

喪服をまとった康介の背中は、しゃがみ込んだ美也子にわずかな威圧感を与えた。康介は窓外の暗闇を見つめたままいつもより低い声で言った。

「さっき、何の話してた?」

「さっきってお母さんと?　別にただの昔ばなし――」

康介はさっと振り返り、美也子の言葉を遮った。

「そうじゃない。通夜のあと話してた男のことだ」

「え、なに?」美也子の目が少し泳いだ。「同級生の男って、拓二くんやろうが。別にあんた、それこそ普通に高校のときの話とかしとっただけやろ。せっかく心配して来てくれたわけやし、なに勘違いしとるの」

じっと、康介は美也子の目を見ている。

「なにあんた、そんな恐い顔して」

美也子は話をそらすように笑ったが、康介の表情は動かなかった。

「お前……いったい、どうしたいとか」

予想もしていなかった問いかけに美也子は固まった。この部屋の凍りつくような沈黙が痛かった。

「康ちゃん。あの、わたし」

ようやく美也子が口を開いたとき乱暴に部屋の扉が開き、男が一人、美也子の隣に転がり込んできた。泥酔した善男の息子だ。

「おぅ、すまんすまん。どうしたんね、こげんとこであんたら」

男は落ちてきそうな瞼を堪えながら二人を見渡し、ろれつの回らぬ声をあげた。康介は男のそばに近づき丁寧な物言いで尋ねた。

「どうしましたか?」

「あー、便所行こうと思ったとやけどね」

「そうですか。あっちですね」

康介は男に肩を貸し、器用に体を起こすと便所の方向に誘導した。

ひどい千鳥足で廊下を歩き、独り言のような会話を続ける。康介はそれにつき合いながら相槌をうったが、扉を閉めるとき、湿り気のない目で美也子を一瞥すると、音もなく部屋を立ち去った。

美也子は動けなかった。脱力して畳に伏せってしまいたかったが、その言葉をいわれた瞬間、握った手が最後までほどけてくれなかった。いったい、どうしたい？　康介の言葉が美也子の中で反復する。ほんとうに。わたしは、どうしたいのだろうか。

＊

時刻は二十三時に近づこうとしていた。

麟太郎は表に出る前と同じように土間に腰をかけ、煙草をふかしていた。

広間では親戚たちが忍耐強く座っていたが、あきらかに通夜の宴席を持て余しており、若い坊主に至っては顔をテーブルに押しあてたままいびきをかいていた。

「アキコさん、まだ何か作るつもりかね？」

宴席の端で洋一が眼鏡を拭きながら、新しい皿を運んできた喪主にぼやいた。

「もうそろそろ、良いんじゃないかね？」

「うん、日登志さんも天国で喜びよるやろ」

ネタが尽きた善男も、大きなあくびをしながら同意した。

「ええ、次が最後です」

アキコは皿を並べながら答えた。

洋一は半ば諦めたように、ああそうね、と呟いた。


古時計の秒針が進む——。

速度は一定のリズムを保っていたが、夜が更けてゆけばゆくほど、不思議とその音は大きく響いて聞こえた。

煙を天井に漂わせながら、昔から聞いていたはずのリズムに耳を傾けた。こんな音だったっけ？　麟太郎は首をひねった。この家で暮らしていた頃、時計の音など一度も気にしたことはなかった。音だけではない。その形を描いてみろと言われたら、きっとうまく思い出すことができず、丸ワクに二本の棒を描いてペンを置いてしまうだろう。

時計に限ったことじゃない。この家で暮らしたどれだけのことを思い出すことができるだろうか？

もう一度煙を吐き出すと、手元にある灰皿に煙草を捨てた。

くうん、と老犬が鳴き、瞼を開けた。

老犬が見ているのは磨りガラスの向こう側だ。麟太郎も同じように玄関を見るが、とくに変わったところはない。

風鈴がちろりと揺れ、何かの気配を感じた。

しばらくしてそれは足音だとわかった。こつこつこつと、あまり大きくない足音が軒下で止まり、磨りガラスに影が映った。

玄関の引き戸がひかれる。

立っていたのは幼い少年だった。黒い髪を自然に整えた、利発そうな顔をした少年が、麟太郎の顔を見つめた。その目は黒く澄んでいる。麟太郎は咄嗟に唾をのんだ。それは少年の目の瑞々しさにというよりも、少年の背後にのびる大きな人影に対してだった。

半月に照らされた人影は、少年に近づくと優しく両肩を抱き、玄関に足を踏み入れた。

「……シュン兄」

麟太郎の口からその言葉がこぼれる。

喪服を着た男の顔はうす黒く焼けており、無精髭を生やしていた。髪には多少の白髪が交ざってはいたが、そこに立っているのはまぎれもなく兄だった。

シュンが弟の顔を見て、小さく微笑みかける。そして廊下の奥に視線を移した。

視線の先には美也子がいた。

美也子ははじめ状況をのみ込めていなかった。来客の気配を感じて部屋から歩いてきたものの、夫から告げられた言葉による動揺もあって、地に足がつかずにいた。

だがシュンの存在に気づくと、体の動きが停止した。

心拍数が急激に上がるのを感じ、美也子は胸が締め付けられた。十五年の空白がこの場の空気を止めていた。

シュンは、麟太郎と美也子を包むような視線で眺めた。

十五年前と変わらぬ表情で笑いかけると、少年の靴を脱がし、「いい子にな」とだけ言い残して台所に消えていった。

「麟太郎、美也ちゃん、ちょっといいかな」

アキコが声をかける。そのとき初めて母がそばにいたことに二人は気づいた。

動揺する子供たちの間を通り抜けてアキコは少年を広間まで連れていった。腰をかがめ信子と軽く言葉を交わし、彼女に少年を託す。そして子供たちの顔をもう一度見ると、あとは余計なことを口にすることなく階段を上っていった。

麟太郎はその足音でようやく金縛りが解けたように、立ち上がった。

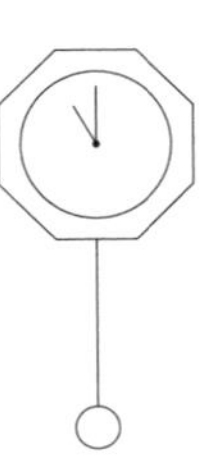

アキコが二人を連れていったのは、二階の日登志の部屋だった。

子供たちをベッドに座らせ、近くにあった古椅子をたぐり寄せた。

「お通夜、疲れた?」

椅子に腰かけながらアキコが言った。二人とも小さく頷く。

「そうだよね」

アキコは二人に微笑みかけると、両手を膝の上にのせ、それを固く結んだ。

「あのね。これからあなたたちに知ってもらいたいことがあって、ここに来てもらったの」

「知ってもらいたいことって?」と麟太郎が訊いた。

「それはね。あなたたちのお父さんのこと。シュンのこと、私のこと。……私たち家族のことを二人にもちゃんと知ってもらいたいの」

アキコは二人を見ると落ちついた口調で語りはじめた。

「昔、お父さんとシュン、よく二人で山に登ってたでしょ。覚えてる?」

麟太郎が頷く。

「じゃあ、最後に登ったときのこと、覚えてる?」

美也子も頷く。

「あの日、山小屋でお父さんがシュンに伝えたこと、あなたたちにもちゃんと知ってほしいって、ずっと思っていたの。だけどその頃、二人ともまだ小さかったから、それはできなかったの。ごめんね」

「……なにがあったと?」美也子が尋ねた。

「お父さんと私ね。出版パーティで出会ったの。私の翻訳した本が出版されて、それはジョージ・マロリーっていう有名な登山家についての本だったのだけど、そのとき知り合いの方から紹介されて、お父さんと知り合ったわ。でも——」

アキコはそこで言葉を止めた。そして深く呼吸をし、二人に告げた。

「そのとき私、結婚してたの」

美也子の表情が、鋭く変わる。

そのことに気づいたが、アキコは言葉を続けた。「たしかシュンは中学生で、お父さんはあなたたちのお母さんと別々に暮らしていたわ。ちょうどその頃だったの、私たちが知り合ったのは。こんな話聞くの、嫌？」

麟太郎は苦い表情で目線をそらした。アキコはさらに続ける。

「もしかしたら、あなたたちには理解できないかもしれない。私もそのときは理解できなかった。もちろん簡単なことじゃないし、答えなんて見つかるものじゃなかったわ。すごく、すごく自分勝手だってこともわかってた。だけど」

一瞬、アキコの目が暗く沈んだ。

「だけどね、結論を出してしまったの。彼が、自らの手で」


彼とは、アキコの元夫のことだった。彼は首を吊った。

それは彼女がシュンを連れて東家に来て、ふた月ほど過ぎた頃のことだった。夏の終わりに、アキコとシュンが暮らした鎌倉の低層マンションの一室で、床に倒れている男が発見された。救急隊員がその部屋に入ったとき、男は白いワイシャツ姿のまま床に倒れており、首には荷造り用のポリプロピレン製のロープがきつく食い込んでいた。男が住んでいたのはメゾネットタイプの部屋で、吹き抜けになったリビングの二階には鉄製の安全手すりが付いていた。男はそこにロープを巻きつけ、ダイニングの四人掛けテーブルにあった椅子に乗り、首を吊ったのだ（そのとき使われた椅子は偶然だったのか、シュンがいつも座っていた椅子だった）。ロープを巻きつけた際の結び目が不完全だったため、男が椅子を蹴り宙づりになった数分後にロープが解けてしまった。ただ首を吊って数分という時間は脳細胞を殺すには十分すぎた――一度死滅した脳細胞は二度と再生しない。男の部屋から遺書は見つかっておらず、床にいくつものウイスキーの空瓶が転がっていたため、突発的な自殺行為に及んだと判断された。

「私がそのことを知ったのはこの家に来て随分経ってからだった」とアキコは言った。

麟太郎と美也子はベッドに座ったまま、義理の母の話を聞いていた。

「知らせてくれたのは私の友人だったの。ほとんど噂話みたいな知らされ方だったわ。私は彼の両親からご縁を断たれていたから、彼が意識不明の状態で病院に運ばれて半年以上経ってから、そのことを知ったの。私とシュンがこの家に来た翌年の春すぎだったと思う。覚えてるかな、家族五人で初めてハイキングに行ったこと。たしかあれから二、三週間後だった。私は友人から連絡を受けてすぐに神奈川の病院に向かったわ。そこは海沿いの療養所のようなところで、脳を損傷した重度の後遺症が残る遷延性意識障害の——つまり植物状態の方々を受け入れてくださる施設だったの。私が病院に行ったとき、まずお医者さまから説明を受けた。いま彼がどんな状態にあるか、今後どのような見込みがあるか、それと、どうやって自分を殺めようとしたかも聞かされた。話をしている間ずっと、お医者さまは私を冷ややかな目で見ていたわ。当たり前ね、私が原因なんだから。そして看護師さんにつき添われて彼が眠っている部屋に案内してもらったの。彼、まるで別人みたいに痩せていた。薄暗い簡素な部屋で、色んな器具が付けられていて。その器具の音だけが、ずっと聞こえてた」

感情を抑えるようにアキコは語った。だが、言葉の端々にゆらぎが滲む。

「そのことはシュンには話せなかった。ずっと。私はこの家に戻ってきて、お父さんに有りのままを話したわ。だけど、その頃の私たちには何の結論も出すことができなくて、ただ彼の状態を、遠くから見守ることしかできなかったの。——そしてあの日、彼が亡くなったという知らせがあった」

アキコは伏し目がちに二人を見た。

麟太郎も美也子も「あの日」がいつのことなのか、すぐに察した。それは十五年前の秋、東家に電話が鳴り響いた日だ。麟太郎は父と野球中継を見るためテレビにかじり付いていた。美也子は台所で宿題をしていて、それを終えたら母と餃子を作るつもりだった。けれど「あの日」の電話は、東家の状況を百八十度変えてしまった。

「病院から電話で知らせを受けたとき、頭が真っ白になって、気がついたらこの部屋にいたの。たぶんお父さんに支えられてここまで来たのだと思うけど、そのときのことはほとんど覚えていない。でも彼が亡くなったって電話口で聞いたとき、私、すっと軽くなった気がしたの。心が、なぜかすっと軽くなった。だけど涙が知らぬ間に溢れてきて、それはどんなに堪えようとしても堪えきれなかった。だから私この部屋でたくさん泣いた。お父さんにも随分ひどいこと言った気がする。なにもかも抑えきれなかったから。だけどお父さん、ぜんぶ受け止めてくれた。お前がわるいんじゃないって言ってくれた。そして全てを吐き出したあと、私は最終便に乗って彼の亡くなった病院に向かった。彼、動けない体で何を考えていたのだろう。シュンに伝えたいことがあったのだろうかって、私はずっと考えてた。きっと私にも言いたいことがあったはずよ。直接彼から罵倒された方がどんなに楽だったかな。でも彼から答えが返ってくることはなかった。結局五年間、彼の意識は一度も戻らなくて、ずっと、ただ呼吸だけしていた……」

一週間してアキコは東家に戻った。

行きは飛行機だったが、帰りは新幹線とバスを乗り継ぎ、七時間以上かけて帰路に就いた。アキコには時間が必要だった。多くを考える時間と一人になる時間だ。そして家族に会うのをできるだけ先延ばしにしたかったのかもしれない。

福岡に着き、西鉄のターミナルでバスを待つ。市内を循環するバスには長くうねった人集りができていたが、アキコの乗るバスに並ぶ乗客はわずか四、五人だけだった。ターミナルは行き着く町の人口密度の縮図のようで、ふと帰るべき町の輪郭を思い浮かべた。

バスに乗り込むとアキコは後ろの席まで歩き、窓際の席に一人で座った。荷物は家を出たときと同じボストンバッグだけで、それは隣の席に置いた。

バスが走り出したとき、陽は西の空に傾きかけていた。

市内を離れ有料道路に入ると車窓からビル群が流れるように消え、やがて曲がりくねった山道へと入った。しばらく走ると渋滞で動きが鈍り、アキコは短い眠りにおちた。夢は見なかった。けれど目覚めた直後が夢の中のようで、意識がぼんやりとし、一瞬自分が何処にいるのかわからなくなった。窓の外を見るとすっかり陽が沈んでいた。薄闇の景色が木々と共に流れ、やがて峠に差し掛かったとき、視界に無数の淡い光が飛び込んできた。それは切れ間からわずかに見えた、家族の待つ場所だった。アキコは苦しくなった。胸が掻きむしられるような苦しさを感じた。五年間暮らした町は手を伸ばせば届くような距離にあるのに、その日常は遠い過去のように虚ろに感じる。たった一週間しかこの場所を離れていないのに。アキコは涙が出そうになるのを必死で堪え、流れる夜の闇を見つめていた。

バスが町の停留所に到着したのは八時近くだった。いつもはここから市バスを乗り継いで日向橋へ向かう。

前方に座る客が下車するのを見て、アキコはゆっくりと席を立った。料金を払いバスを降りる。目の前にはプラスティック製のベンチがいくつも並んでいる。そのベンチの最後列に、一人座っている日登志の姿があった。日登志は腰を上げ、戸惑うアキコに近づき無言でバッグを持った。二人は言葉を交わさずに歩き、道路の脇に停めてあった軽トラに乗り込んだ。そして日登志は助手席に座る妻の顔を見て「おかえり」とだけ呟き、彼女の手を強く握りしめた。

「私が戻ってから五日後、お父さんとシュンは山に登った――」

アキコは呼吸を整え、その日の光景を眼前に浮かべるように語った。

「お父さん、山小屋でシュンに打ち明けたの。シュンの父親が、何で五年間まったく連絡してこなかったのか。あの人がどんなところで、どんな風に死んでいったのか。そして私たちの贖罪（しょくざい）の気持ちも、ぜんぶ」

それがシュンに伝えた全てのことで、あなたたちに伝えたかった全てのことなのだと、アキコは言った。麟太郎は何かを考えるように押し黙っていた。美也子は自分の手元に目を落としながら小刻みに震えていた。

「何なん」

美也子が口火を切った。

「何なんよ、贖罪の気持ちとか。そんなん勝手やろ。あんたの身勝手やろが」

「……そうね」とアキコが言った。

「大体あんたなに考えてんの。こんな話しゃあしゃあと子供に。恥ずかしないんね」

美也子は憤慨した。

「あんたが不倫しとったとか、旦那が死んだら心が軽くなったとか、そんな話、理解とかできるわけないやろ。あんたも、パパも。勝手に壊して、勝手につくって……ウチらの気持ちとか関係ないんやろ？　どんだけ寂しかったか考えたことあるの？」

美也子の罵声（ばせい）を、アキコは黙って聞いている。

「大体、血も繋がってないあんたに、わたしの何がわかるとよ」そう言い、義理の母を睨みつけた。「わたしの気持ちなんて何にもわかってないあんたが、そんな気安く、家族とかって言葉使わんでほしい――」

ありったけの感情を目の前の義母にぶつけ、美也子は体を震わせた。

言わなければならなかったのだ。こんな女に気安く家族を語られるなんて、耐えられない。虫唾(むしず)が走った。美也子は怒りを抑えることもせず、次の言葉を待った。

けれど言葉は、別の方向から飛んできた。

「――家族って、何？」

「え？」

「家族って何なの。姉ちゃん家族持ってるだろ、教えてくれよ」

「何言ってんの、そんなん」

予期していなかった弟の言葉に、美也子は口ごもる。

「おれ、わかんないんだよね。結婚して、子供つくって、知らない両親ができて。こんなときにしか会わない人たちが増えて。わかんないよ、おれ。全然わかんねぇんだよ」

麟太郎の声が裏返る。

「教えてくれよ。なんで姉ちゃんは康介さんと結婚したの？　なんで家族をつくろうと思ったの？　そんなのわずらわしいだけじゃないの」

そう言って姉を見据えた。美也子は言葉に詰まったまま黙り込んでいる。

沈黙を破ったのはアキコだった。

「わずらわしいわよ。そんなの、当たり前でしょ」

「じゃあ何で？」

「わかるわけないんじゃない。だって、うまく説明できないから」

「説明できない？」

「そう。説明できないわ」まるで自分に問うように、アキコは呟いた。

そしてしばらく黙り、また二人に話しはじめた。

「でもね。私、後悔してないんだ」とアキコは言った。「例えば、もしあの頃の、あの瞬間に戻れたとして。私が同じように選択をしなければならなかったとして。それでも私、きっと同じ結論を出すのだと思う」

アキコは薄暗い部屋の小棚の上に置かれた、写真立てを見た。初めて五人で山に登ったときに撮られた写真だ。

アキコは懐かしそうにそれを眺め、また二人に視線を戻した。

「すごく自分勝手な言い方かもしれない。だけどね――」と言い、二人を見た。「私、あなたたちと家族になれたこと、後悔してないの」

はっきりと、そして清々しい表情で母は子供たちに言った。

その言葉を聞き、美也子は苦しそうに涙をこぼした。一粒片方の目尻からこぼれると、そのあとは止まらなくなった。声を出さぬよう、肩を震わせた。

美也子はアキコが家を出た一週間の日々のことを思い出していた。あの夜、彼女は困惑する父に代わり炊事場に立った。それには強い意志が必要だった。自分を奮いたたせないと手足が痺(しび)れたように動かなかったからだ。美也子が行動するとそれをきっかけに麟太郎もシュンも台所に向かい、ようやく父も自分を取り戻した。そのあと初めて四人で餃子を作った。黙々と手を動かす四人に言葉はなかったけれど、言葉以上に大切なものがあった。そこから日常は新しく動きはじめた。父とは今まで話せなかったような込み入った話ができるようになった。麟太郎はこの出来事を機に少年から次の段階に進み、その瞬間を彼女は間近で目撃した。そしてシュンは敬意と好意が入りまざる大切な存在になろうとしていた。彼女には、何があったとしても母を迎える準備ができていたし、家族という時間が永遠に続くと信じて疑わなかった。その強い手応えがあった。だからシュンが家を出て、二度と戻らないと悟ったとき、彼女の中でこの家族に対する何かが終わってしまった。

「あたし、期待しとったんよ。あのとき。すごく期待しとった」

美也子は詰まる声で言った。

「お母さん戻ってきたら、新しく家族がはじまるんだって……」

そう言い終えると、美也子はまた肩を震わせた。

アキコは美也子の肩を抱き、「ごめんね」と言った。そして麟太郎に視線を移し、同じ言葉を呟いた。

美也子は涙を堪えなかった。麟太郎もそれ以上何も言わなかった。

カーテンの隙間から半月が見える。片側の欠けたその月は、それでも地上にあるものを精一杯照らしていた。

下の階からシュンの呼ぶ声がする。あの頃と何も変わらない声だった。

すき焼き

深夜のテーブルに置かれたのは、湯気の立つすき焼きの鍋だった。

シュンは台所で仕込んできたそれを、親戚たちの囲むテーブルの真ん中に置いた。三人が階下に下りてきたのもちょうどその頃だった。兄の連れてきた少年は姿勢を崩さず正座をしていた。親戚たちはみんな、顔をほころばせながら少年に話しかけている。どうやら聡明な少年は、短時間で彼らの心をつかんだようだ。麟太郎と美也子もさっきまで使っていた箸の前に座り、兄の作った料理を眺めた。

すき焼きはとても素朴なものだった。おそらくどこの家庭でも見られるような食材しか使っておらず、椎茸(しいたけ)や豆腐を真新しい皿によそうと、シュンは遺影まで歩き、飾られた日登志の写真の前に、それを置いた。そして棺に近づいた。シュンの視線の先には穏やかな表情で眠る父がいる。シュンは腰をかがめると亡骸のそばに寄り、そっと日登志の頬に触れた。

しんと、部屋が静まりかえった。

わずか数秒のその動作は数十秒にも感じられ、その時間の中で、ここにいるみんなが東日登志のことを想った。

やがてシュンは腰を上げると親戚たちに語りかけた。

「みなさん、どうぞ自由にやってください」

飄々（ひょうひょう）と食事を促す青年に戸惑いつつも、親戚たちは箸をとる。そしてすき焼きを皿によそいはじめると、静寂につつまれていた部屋に染み渡るように音が戻っていった。

シュンは麟太郎と美也子のそばに来て、「あっちで食わないか」と二人を誘った。そして行儀よく座る少年を片手で抱きかかえ、台所の奥へと歩いていった。二人は互いの顔を見合ったが、シュンと少年を目で追うと、自然に席を立ち、あとを追った。

台所に入るとダイニングテーブルに少年が座っていた。シュンはコンロの前で、切っておいた具材を小ぶりの鍋に入れ、新しくすき焼きを作る準備をしていた。

二人が来たのを確認すると、いつもの席に座らせ、冷蔵庫の扉を開けた。

「ほんとはさ、これ、入れるんだよ」

奥から手のひらサイズの瓶を取り出し、テーブルの上に置いた。透明なガラス瓶の中にピリッと辛そうな薬味が入っている。

「食べるラー油？」

不思議そうに麟太郎が言った。

「そうそう。食ったことある？」

「うん、まあ」

「隠し味なんだよな、これ」

そう言いながら、ラー油を眺める少年の肩をポンと叩く。

「ほら。ご挨拶は？」

少年は向かいの二人に、小さくお辞儀した。

「はじめまして、アズマナオトです。五歳です」

麟太郎と美也子もおもわず、はじめまして、と頭をさげた。

シュンはその様子にくすりと笑い、直斗の頭をなでて、

「息子だよ。あんまり一緒にはいられないけどね」と言った。

鍋の音の変化に気づき、シュンはコンロの前に戻った。少しかがみ込み、火の加減を調整する。そして菜箸を使って具材を馴染ませていった。

「あの、シュン兄。いまは？」

麟太郎がシュンに尋ねた。

「うん。ほとんど海外だな」

「海外？」

「ああ、登ってる」

美也子もその言葉に反応し、シュンを見た。

「向こうの登山隊に参加してる。来年はエベレストだ」

そう言い、妹の顔を見て笑った。

美也子もつられて笑ったが、それはあまり長くは続かなかった。目線をシュンから外し両手で顔を覆うと、美也子は唇を嚙みしめた。なぜだかわからない。だけど泣きそうになった。

くつくつと、コンロの炎が鍋の温度を上げた。シュンが箸を動かすたびに旨そうな匂いが部屋に漂ってきて、直斗少年の腹が鳴った。

「――あらかた話してきたわ」

台所に戻ってきたアキコが出し抜けに言った。

「あなたなんにも説明なしだからみなさん困っちゃうでしょ」

「別に、知らなくってもいいと思うけど」

「遺言だから、お父さんの」と微笑む。

戸を閉めるとアキコは食卓のいつもの席に腰を下ろした。そして置かれたラー油の瓶を手に取り、シュンが仕上げようとするすき焼きを見た。

「これね。お父さんが最後に食べた料理なの」

「え、でも」と麟太郎が言う。

「もちろん病院じゃなくて、この家でね」

「家で?」

「そう。この家での、最後の食事」

そう言い、黙々と手を動かすシュンを見つめている。

煮立つ音が強くなり、料理の仕上がりが近いことを鍋が知らせる。シュンは散らばったネギや椎茸を整えながら、どことなく寂しげな表情を浮かべた。

*

二階のベッドで、日登志が静かに寝息をたてていた。

その音はあまりにか細かったため、部屋の入り口に立つシュンにまで届いてはいなかった。


父の病状は母から知らされていた。

ある朝、日登志が目覚めたとき、視野に異常な狭さを感じたらしい。それは単にぼやけているとかではなく、視野の一部が白く遮られていた。只事（ただごと）でないと感じた日登志は、昼を待たずに病院へ駆け込んだ。医者ぎらいな日登志には珍しいことだったが、彼の勘が非常に危険な状態だと判断したのだろう。病院では即座に検査がおこなわれ、脳に大きな腫瘍（しゅよう）があることが判明した。それにより視神経が圧迫され、視覚障害を起こしたのだ。原因は腫瘍をとって調べないと判断できなかったが、医師は「ある可能性」を予測していた。

手術は翌日おこなわれた。そのことからもどれだけ切羽詰まった状況だったかがわかる。

結果は癌だった——ステージ４。肺からの転移癌。そして医師から告げられた余命はわずか半年だった。

母から連絡を受けたのは海外での遠征先で、予定していたマッターホルン登頂への下調べとトレーニングのため、シュンはスイスのツェルマットに来ていた。その日、朝から現地スタッフと視察を兼ねて軽めに登り、下山したのは夕方だったが、携帯を見ると母からの着信が六件入っていた。どんなに用があっても、母は二度以上電話を鳴らさない。だからよほどのことだと感じた。シュンはあらゆる最悪な出来事を想像しながら、すぐに折り返したが、電話は繋がらず、現地時間で十一時を過ぎた頃（日本時間で朝六時のはずだ）、再び母からの電話が鳴った。

そのときシュンはすぐに帰国し、日登志に会わねばならないと思った。だが、落ちつきを取り戻していた母がそれを止め、経過を見ようということになる（もちろんそれは息子に対する配慮で、シュンにとってどれだけ大切な時期か理解していたからだ）。

その後、日登志の病状は一進一退を繰り返す。

手術はできず、抗がん剤で進行を遅らせることが最善とされた。運良く薬は効き、余命宣告の半年が過ぎたが、癌と診断されて一年余りが過ぎた頃、病状が悪化し、シュンは日登志に会うことを決めた。

シュンが戻ったとき、日登志は眠っていた。

部屋の扉を静かに開けて、母が背中をそっと押す。足元の畳が踏み込むたびにぎしぎしと鳴った。それはシュンがこの家にいた頃から聞きなれた音で、どこか懐かしさを感じさせた。数歩歩くと畳の音にまざって父の吐息が聞こえた。あまりに弱々しかったため、呼吸をする音だと気づくのに時間がかかってしまった。けれどそれに気づき、ようやく父の顔を見たとき、シュンは胸が詰まった。長い歳月を経て再会できた喜びよりも、この歳月の中に父を放っておいたことへの痛みの方が強かった。シュンの目に映る父はまるで老木のように痩せこけ、今にも崩れ落ちそうに横たわっている。

シュンは父を見つめた。それはかなり長い時間だったように思える。

細く吸い込む音が一瞬止まり、その乱れた呼吸で日登志は目を覚ました。うっすらと瞼を開くと何かの変化を感じたのか、目だけをわずかに動かした。日登志ははじめ人影を認識することができず、虚ろな視線を向けたが、やがて焦点が合うとごくりと息をのみ込み、大きく呼吸を乱した。

何か言おうとするが、うまく声にすることができない。

シュンはそんな父を見て唇を震わせた。

「ただいま……」

そう呟くとベッドの横にしゃがみ込み、父が差し出した手を握った。

「ただいま。父さん」

父はただ頷き、大粒の涙をその目に溜めた。

すき焼きを作るシュンの背中を見ながらアキコが言った。「あのあと、あなた随分と話し込んでいたものね。お父さんそんなに調子が良くなかったはずだけど、気がついたらすっかり日が暮れていたから」

シュンは手を動かしながら小さく笑った。

「その日、シュンは一晩だけ泊まっていったの。そのあとたしか……」

「十二月だね」とシュンが言う。

「そうそう、ナオくんと一緒に来たのよね」

アキコは直斗の頭をなでた。

「ケーキをたべた」と直斗が言った。

「食べたねぇ」と笑いながらアキコが頷く。「クリスマスにはちょっとだけ早かったけど、サンタさんのケーキ食べたね」

直斗は椅子の上で、床にとどかない足を揺らしながら頷いた。

「ほんとはね、一階にベッドを持ってくるつもりだったの。その方が色々とお世話をしやすいから。でもお父さん、どうしても二階がいいって、聞いてくれなくって」

「頑固だから、あの人」

シュンがまた笑う。

「――だから私、翻訳に使うパソコンとか仕事道具一式、ぜんぶ二階にお引っ越しして、大変だったのよ。でも、お父さんをベッドに寝かせつけているとき、初めてわかったの。なんでお父さんが、二階の自分の部屋にこだわっていたかって」

その部屋の窓からは、日登志が登っていた山々が見えた。日向橋から続く坂道も見えた。そしてこの家を訪ねてくる人の姿も。

次にシュンが訪れたとき、日登志は窓から坂道を眺めていた。

バスが日向橋に到着する時間になるたびに、体を起こし、坂道を歩く人影を探した。やがて遠くに直斗の手を引くシュンの姿を見つけると、子供のように大騒ぎした。台所にいたアキコを急いで二階に呼び、身を乗り出して手を振った。

その後、日登志は生命を取り戻した――。土色だった顔は血の気をおび、細胞が飛躍的に活性化されていくのをアキコは間近で感じた。命は不思議だ、とアキコは思った。医師から「余命」という言葉を告げられた瞬間、人は告げられた期限に向かって命の時間を刻みはじめる。けれど「余命」という言葉すら忘れることができたとき、どうやら刻まれる時間に狂いが生じるようなのだ。

シュンは時間の許す限りこの家を訪れた。

最後にシュンが日登志を見舞ったのは新緑の色づく初夏で、ちょうど亡くなるひと月前だった。

窓際から見える山々は、緑色をした絨毯（じゅうたん）のように連なっていて、流れ込んでくる風がレースのカーテンを静かに揺らした。シュンはいつものようにベッドのそばにある椅子に座っていた。父の顔はひどく痩せこけていて、漏れてくる呼吸もわずかなものだったが、シュンは変わらずに父の隣で本を読んだ。おそらく父もそれを望んでいた。

日登志は空を見ていた。

空は前日と同じように青かった。雲が気流にただよい、数羽の鳥が見えた。

ぱらぱらとページのめくれる音がする。

「……シュン」と日登志が呟くように言った。

文字を読むのをやめ、シュンは父に目を移した。

「今度、どこに登る？」

「言ったじゃん。マッターホルン、北壁だよ」

「そうか、いい山だな」

シュンは頷くと、また本に目を戻した。

庭にある梅の木に止まっていた鳥が小さな羽音をたてて飛んだ。

「……シュン」もう一度日登志が呼ぶ。

「どうしたの?」

「はら、減ったなぁ……」

シュンはやせ細った父を見た。何も喉を通らないことは誰が見てもあきらかだ。けれど
日登志は息子に「何か食べたい」と言った。

シュンは一瞬目を伏せたが、すぐに明るい声を返した。

「いいよ、作ろうか」

日登志は弱々しい笑顔で頷いた。

「何がいい?」

「おまえの、好きなやつがいい」


麟太郎と美也子は母の話を何も言わずに聞いている。

「シュンはここで、同じようにすき焼きを作ったの」

アキコが二人に語った。

「具材も、たしか今日と同じね」

「蒟蒻（こんにゃく）はなかったよ」

「そうね」とアキコが言った。

くつくつとたぎる鍋の音を確かめながら、シュンはコンロの火を止めた。

時計は十一時半を回っていた。

「これさ、仲間に人気あるんだよ――」

シュンはベッド脇の折りたたみテーブルにすき焼きの鍋を置いた。そして小皿に丁寧に具をよそった。

「このラー油さ、ピリ辛であったまるから、最近じゃ仲のいいシェルパが名前も知らずに作ってってさ」

ビンの蓋を開け、ラー油をスプーンで少量たらす。

「アイツら、食べるラー油も、すき焼きも、なんにも知らないんだぜ。だから、あのピリッとした鍋、とか言って適当に作りはじめるんだよ」

そう言いながら、具の盛られた小皿を、ベッドに添えつけられた介護用のテーブルにそっと置いた。

「箸でも大丈夫?」

「ああ」

シュンは父の手に箸を渡した。その手に握力が残っているようには思えず、アキコが支えようと体を寄せたが、日登志はそれを拒み、自分の力で箸と皿を持った。そして小さめの肉を震える箸でつかんだ。

ぽとり、その肉は箸からすべり落ちる。

日登志はまた同じように箸でつかむ。けれどまたすべり落ちる。そしてもう一度箸でしっかりつかむと、ようやくそれを口の中に入れた。

「うまいなぁ」

日登志は一言だけ呟き、あとは力なく顎を動かした。

シュンは顔をしかめ、真っ赤なラー油のかかった椎茸を頬張った。そして無理に笑ってみせたがそれも長くは続かず、下を向いて顔を隠すようにして肩を震わせた。

ほどなくして日登志の容態は急変し、そのまま病院へと運ばれた。そして彼は、二度とこの家に戻ってはこなかった。シュンは病院での父を見舞うことはせず、日本を離れた。

そして予定通りマッターホルンに登った。誰よりもそれを望んでいたのは父だったから、シュンは迷わず登ることを選んだ。

マッターホルン北壁は三大北壁の一つとして、熟練の登山者であっても困難なルートとされ、その切り立った壁は想像していた以上の険しさでシュンの登頂を阻んだ。それでもシュンは黙々と登り続け、ついにその頂を踏んだ。


アキコのメールボックスに送られてきたのは、山頂で力強く拳を振り上げる息子の姿だった。おそらくシュンは登頂した直後に写真を送ったのだろう。その姿は部屋の壁に飾られた、若き日の日登志を彷彿とさせた。

既に深い昏睡の世界に身を寄せていた日登志は、こちら側の世界との回路を絶っていた。幾日も前から言葉を交わすことはなく、生命活動そのものが終焉に向かっていることを、アキコは感じていた。炎のゆらめきは細く消えかけている。けれどその写真を見せたとき、日登志の眼底にしっかりとした光が戻った――それはまるで炎が力強く燃え直すかのようだった。アキコのノートパソコンに送られてきた画像を、日登志は食い入るように見つめた。とても深い呼吸を何度も繰り返し、マッターホルンの頂に立つ息子の姿を、じっと見つめ続けていた。

そして、しばらくして小さく体を震わせたあと、涙を一粒だけこぼしたのだという。

深夜の台所で、麟太郎は話を聞きながら体を動かすことができないでいた。感動したわけではない。むしろまったく逆の感情の中にいたが、それをうまく説明することができなかった。後悔なのだろうか。と自分に問うてみた。それもあるだろうと思ったが、それだけでもなかった。そして昔つき合っていた彼女から、無理やり実家に連れていかれた日のことを、ふと思い出した。

あの日両親に紹介されて、晩飯をご馳走になった帰りの高速で、おれは彼女と激しく喧嘩した。両親から冷たくあしらわれたわけではない。どちらかというと親切にされたのではないかと思う。彼女の実家は群馬の高崎にあった。電車を使えば東京から乗り換えなしで行けたが、背伸びしてレンタカーを借りた。免許を取ったばかりということもありドライブを楽しみたかったのだ。けれど彼女の実家に行くことには、さほど気乗りはしていなかった。高速を走り高崎インターで降り、彼女の実家に着いた。そして彼女に促されるままに玄関を跨(また)いだとき、ひどく落ちつかない気持ちに襲われた。彼女の両親はおれを笑顔で迎え、おもに仕事の話をし、どんな芸能人と会ったのか、などというどうでもいい質問に、おれはよそ行きな口調で答えた。彼女の両親は帰ろうとしたおれを食事に誘い、結局彼女の家で晩飯を食べることになった。そうしておれたちは食卓を囲んだ。食事中も当たり障(さわ)りのない会話を続けた。内容はほとんど覚えていない。おれはなぜか食欲をなくしてしまい、ほとんど料理を腹の中に入れることができなかった。夜の九時くらいにお暇(いとま)をし、帰りの車を運転しながら、おれはしばらく黙り込んでいた。彼女はなぜおれが不機嫌なのかわからず腹を立てた。おれもなぜ不機嫌かなんてまったく説明できなかった。だけど彼女はおれが説明できなかったことに、また腹を立てた。そのあと高速のパーキングエリアに入り、おれはラーメンを注文した。食欲がなかったおれがラーメンをがつがつと腹の中に入れるのを見て、彼女の怒りは最高点に達した。ラーメンを食い終わり、高速道路で東京に戻る途中、もう一言も口をきかなかった。それからほどなくして互いに連絡を取るのをやめ、おれたちは別れた。

　今思うと、おれには覚悟がなかったのだろう。あの頃二十代に足を踏み入れたばかりで、結婚などというものを、彼女だって、彼女の両親だって、別に求めていたわけじゃなかったはずだ。とはいえ何かを試されていたことは確かだし、それ以上におれは「家族というもの」に向き合う覚悟をまったく持っていなかったのだと思う。けれどシュン兄や父はその覚悟をとっくに持ち合わせていた。

すき焼きの鍋をテーブルのど真ん中に置き、「冷めちゃうから早く食おうか」とシュンは言い、辛気臭い顔をしていた弟たちを笑いとばした。麟太郎と美也子は、互いにひどくこわばった顔をしていたことに気づき、なんとなく照れ臭くなってしまった。そしてようやく手を動かしはじめ、みんなで順繰りに、すき焼きを皿にとった。

シュンが考案した「食べるラー油」のすき焼きは喉元にほどよい刺激が加わり、よく溶かした卵の黄身を絡めると想像以上に旨かった。麟太郎は、久しぶりに再会した家族と食卓を囲み、共に鍋をつつきながら、静かに父のことを思い出していた。

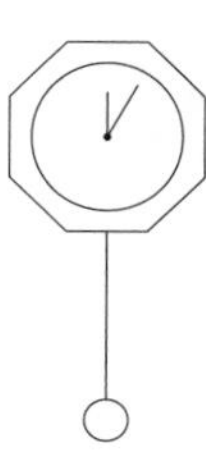

夜も更け、日付が変わった頃、親戚たちはようやく通夜の席をあとにした。
アキコは今夜のわがままを、来客に詫びた。洋一は黒眼鏡をかけ直しながら苦い顔をしたが、善男と信子は気にするなと笑い、同じ工場の井住は逆に麟太郎たちに頭を下げた。皆、ひとしきり挨拶を済ませると、翌日の葬儀に向けて帰路に就いた。
宴の終わった広間はやけに静かで、まるで夏祭りのあとのようだった。みんなでテーブルの箸や皿を片づけて簡単に部屋を整えた。それが落ちついた頃、アキコが一冊のノートを子供たちに見せた。それはコンパクトなざらついた表紙のノートで、泥のついた手でめくったのか、ところどころ茶褐色の染みが付着していた。ページを開くと罫線の引かれていない白い紙に、日登志の個性的な文字が躍っていた。それは登山の記録だろうか、挿絵(さしえ)と共に気ままに綴られた日記のようなものだった。隣でシュンが、そのノートを何度か見たことがあると懐かしそうに笑った。麟太郎は一枚一枚ページをめくった。そして十数ページほどめくったところで「山」の記録が「食」の記録に変わった。「——これ、お父さんが遭難した夜に書いたものなの」とアキコが言った。たしかにそのページから字は乱れはじめていた。その乱れ方に、視界が遮られるほどの雪山の光景を子供たちは思い浮かべた。行く道を失った日登志はかろうじてテントを張り、凍りつくような寒さの中でペンをとったのだろう。麟太郎の開いたページにはスライスチーズを敷いた目玉焼きの挿絵と簡単なレシピ、そしてそのときのエピソードがこと細かに綴られていた。もちろんそれは日登志が初めて料理を作ったときのものだ。次のページは味噌汁、その次のページは焼き魚で、焼きいものページには麟太郎とシュンの真っ黒な顔をした似顔絵まで描かれていた。

日登志は末期の告知を受けた数日後に雪山に登った。もしかしたらある種の「自死」を考え、無意識に山に登ったのではないかと、シュンは言った。そうでないとこんな無謀な登り方はしない。日登志は「自然」に足を踏みいれるとき、誰よりも「自然」に敬意を示していた。

麟太郎はさらにページをめくった。日登志の字はより乱れはじめた。疲労が蓄積していたことが、上下に揺れる文字でわかった。筆圧もかなり弱い。もはや握力もそんなには残されていないのだ――日登志がまっ白い息を深くゆっくりと不安定なリズムで吐き出しながら、震える指先でペンをはしらせている姿が浮かんだ。そして最後のページを開いたときに、麟太郎の手がぴたりと止まった。そこにはほとんど消えそうな字で、「**いつかまたかぞくであつまって めしをくいたい**」と書かれてあった。

翌朝の空は目を細めるほどに青く、一寸の霞（かすみ）もない空だった。

父の亡骸が納められた棺は、息子たちを先頭に数人で抱えられ、東家からゆっくりと運ばれていく。別れを惜しむ喪服姿の隣人たちは、長い列を両脇につくり、運ばれていく棺にそれぞれの想いで手を合わせる。棺は人々の間を通り抜け、やがて表で待つ霊柩車に丁寧に納められた。アキコが来客に挨拶をし助手席に乗り込むと、葬儀会社の運転手がハンドルに備えつけられたクラクションを、遠く、響き渡るように鳴らした。それは大型船の汽笛のような音だった。やがてきらびやかな装飾が施された霊柩車は、別れの音を奏で終えると、エンジン音で静かに車体を揺らし、定められた方角へ走りはじめた。

麟太郎は、坂道をゆっくりと下っていく霊柩車を見つめた。その車には父が乗せられている。遠ざかってゆく車を見て、父とシュンが最後に山に登った日のことを思い出した。たしかあのとき、何度声をかけても父は一度も振り返ることなく、遠ざかっていった。そして今も、父は何も語ることなく、ここから遠ざかっていく――気がつくと麟太郎は涙を流していた。父を乗せた車はアスファルトから立ち昇る蜃気楼(しんきろう)の中に、揺れながら消えていった。

麟太郎は耳元にクラクションの、別れの残響が漂う中で、誰にも気づかれぬよう頬をつたう涙をそっとぬぐった。

日登志が乗せられた霊柩車が見えなくなると、葬儀会社の進行役の男があらかじめ後ろに停めてあったマイクロバスに、家族と近親者だけを誘導した。乗せられたメンバーはおよそ昨夜の通夜ぶるまいを共にした者たちだった。やや小ぶりのマイクロバスに最初に乗り込んだ洋一は、相変わらず不機嫌そうに眼鏡の収まりの良い場所を探していた。麟太郎と美也子は前の席に並んで座り、シュンは隣の一人掛けの席に座ると、膝の上に直斗を抱えて窮屈そうに笑った。

やがて全員が乗り終えると進行役の男は手動で扉を閉め、助手席に腰を下ろした。そして行き先を告げることなく、霊柩車のあとを追うように走りはじめた。

夏の景色が流れてゆく――。

窓の隙間から、若い葉の匂いが迷い込んできた。

前方の霊柩車は追いつきようのないくらい遠い場所を走っていたが、とくに焦ることもなく、マイクロバスはマイクロバスの速度を保ち続けた。車輌は日向橋を渡ると、両脇に田園の広がる、一本の線のように伸びた砂利道を走った。風が育ちかけの稲を緑の波のように揺らし、さらさらとくすぐるような音を鳴らした。やがて車輌は対向車をすり抜け、バイパスに入った。大型のスーパーを通り過ぎ、ファミリーレストランを通り過ぎ、プラザボウル前に差しかかったときに、信号が赤に変わった。麟太郎は少しだけ窓を開ける。プラザボウルの駐車場からは何の気配もなく、かつての賑わいが嘘のように静まり返っていた。壁は剥げおち、雨だれの黒い滲みが建物を余計に貧相に見せている。どうやらクローズされたことを示す看板だけが、この建物の情報の全てのようだ。きっと次に帰省したときは真っさらな更地になっていて、この場所に何があったのかを思い出せる人も、いずれいなくなるのかもしれない。

気がつくと信号が青に変わっていた。

車窓にボーリング場の景色はなく、最近建てられたニュータウンの同じ色の屋根が、連なるように麟太郎の視界を流れていった。

火葬場に到着したのは十一時頃だった。

建物は小高い丘にあり、町が一望できた。先に着いていた霊柩車からは既に遺体の入った棺が運び出されている。車輛から降りた麟太郎が建物の中に入ると、全ての準備は済まされており、あとは棺を火葬炉に入れるだけだった。こうも手際よく遺体を灰にする作業が整っていると、悲しむ暇すらないものだ。むしろ感心さえした。だから火葬炉の扉が開き、棺がゆっくりと押し込まれてゆくときも、麟太郎はおみおくりの「儀式的な動作」を真似ることに追われ、気づくと金属製の重そうな扉が火葬場の従業員によって堅く閉じられていた。

沈黙が空間に漂った。

厳粛な表情で故人を見送った親戚たちは、一人また一人、踵（きびす）を返してその部屋をあとにする。そして取り残されたように突っ立っていた麟太郎にシュンが声をかけ、二人は建物の外に向かった。

玄関の自動扉を出ると気温が一気に上がる。さっきまでの場所が冷えきっていたことにまったく気づかなかった麟太郎は、六月の暑さを感じ、妙に安心した。

建物に沿って少し歩くと、小庭にある喫煙スペースに親戚たちが群がっていた。伯父たちが足早に外へ向かっていたのは、このためだった。

「こらえ性のないおっさんたちだな」

目を細め、シュンが小さく笑った。

麟太郎は歩きながら彼らの会話に聞き耳をたてた。どうやらこれから昼食にふるまわれる精進料理の話で盛り上がっているようだ。

「まじか、あいつらまだ食いもんの話してるぜ」

「昨日あんだけ食べたのに」

「うらやましいね」

「なにが?」

「牛並みだからな、胃袋が」

そう言われると喫煙所に群がる親戚たちが牛に見えてきた。煙が焼肉屋のようだ。

「なんか、あれだな。忘れちゃうんだろな」

「忘れる?」

「ああ、親父のことな。すぐに忘れちゃうんじゃねぇか」

怒るでも悲しむでもなくそう言い、シュンは煙草を取り出した。

「最近じゃ煙突みたいなの、ないんだな」

「ああ、ほんとだ」

建物に煙突は見あたらず、屋根はシャープな曲線を描いていた。

「なんかイメージと違うな」

「はあ？」

「もっと、がんがん煙出てると思ってたけどな」

「それだともろに焼かれてる感じで、落ちついて煙草も吸えないでしょ」

「まあ。そうだな」

二人は笑った。喫煙所の牛たちは別のことで笑っていた。

「そういえばさ」

「ん？」

「親父、肉好きだったじゃない」

なぜか麟太郎は、初めて食べたサーロインステーキのことを思い出した。

「昔、シュン兄がこの家に来るずっと前だったと思うけど、おれ、博多に住んでる親戚のおじさんからロイホに連れていってもらってさ」

「ステーキ屋の？」

「そう。ロイヤルホスト」

「さっきバイパス走ってたとき、あったよな」

「昔はなかったじゃん」

「ああ、たしかに」

「それでさ。そのとき食べたサーロインステーキがめちゃくちゃ旨くてさ。たぶんいまだったらぜったい普通の味だろうけど、とにかくそんときは腰抜かすほど旨く感じたの」

「へえ」

「それで家に帰ってからも、親父にずっとその話してて」

「ちょっと不機嫌だったろ？」

「そう」

麟太郎は少し笑った。

「で、その何ヶ月かあとに、みんなで商店街にあるレストランに行ったの」

「ぜったいステーキ注文しただろ、あの人」

「やっぱりわかる？」

シュンは低く笑いながら煙草をふかした。

「その店でいちばん高いステーキ、たぶんフィレなんだろうけど、注文してた」

「だろうな」

「そんで、おれ。親父が食べてる肉、少し食わせてもらったの」

「旨かったか？」

「たぶん」

「たぶん？」

「ロイホの方が旨かったって、言ってしまった」

「マジかー、ばかだなぁお前」

「いや、つい口から出ちゃったんだよ。たぶんいま食ったら、ぜったいあの店のフィレの方が旨いはずなんだけど、つい」

「美也子とそっくりじゃねーか。あいつも味噌汁のとき言ってたぞ」

「だよね。おれもそう思うわ」

麟太郎はあきれるシュンから煙草をもらった。

「でもそのあと、なんであんなこと言っちゃったんだろうって、なんか自分が嫌になっちゃって」

「自己嫌悪」

「そう。なんか、せっかく旨そうに肉食ってるのに、なんで邪魔しちゃったんだろうって思った」

「……」

「けどそんな話をすることもなく、親父は死んじゃったけど」

「ふーん」

シュンが吐き出した煙が、ふわりと宙を漂っている。

「まあ、でもさ」シュンはその煙を眺めながら言った。「いっつも少しだけ食いちがうんだよな」

「くいちがう?」

「そう、食いちがうの。おれも、お前も。たぶん美也子も……安心しちゃうんだろうな、時間なんて永遠にあるって思えるしな」

「……」

「けどそんなもんかもな。家族って」

そう言い終えると、シュンは黙って空を見上げ、火葬場に浮かぶ巨大な入道雲をしばらくの間見つめていた。

気がつくと喫煙所に親戚たちの姿はなかった。

麟太郎はふと姉のことが気になったが、シュンと二人、白く立ちのぼるような夏の雲を眺め続けた。

*

窓際で美也子が黙り込んでから、随分と時間が経っていた。

おそらく実際には大した時間は過ぎていなかったかもしれない。けれどいざ康介と向き合ってみると、頭の中は見事に白く飛んでしまい、どこに立っているのかさえもあやふやに感じた。

美也子は、右手の親指が左手の親指を掻きむしる動きを見つめていた。

その動きはあまりに無意識だったため、自分の指には見えず、もぞもぞと這い回る芋虫（いもむし）のようだった。けれど左手の親指に血が滲んだとき、はっと我にかえり、ガラスの向こう側で騒ぐ子供たちの声が、ようやく耳に飛び込んできた。

美也子と康介は、大きな待合室の自動扉の奥で向き合っていた。そこは火葬炉へと続く長い通路で、連なる壁は一面ガラス張りになっていて、夏の日差しが濃い陰影をつくり出していた。

隣の待合室では、信子に任せた美姫と大輔が、親戚の子供たちに混ざって走り回っている。信子は美也子のただならぬ空気を感じたのか、子供たちを二人の元に行かせぬよう、気を配っていた。

「……あの、康ちゃん」

長い時間を経て、ようやく美也子は口を開いた。

「わたし、今まで子供のこととか自分のこととかで、なんか手一杯で、だいぶ、康ちゃんに甘えっぱなしだったって言うか、おざなりになっていた気がして」

「……」

「なんか、お通夜がはじまる前も、ほら、大輔が玄関の壺、割っちゃって、あのときもわたし、善男おじさんにつき合わされとったけど、ほんとは片づけるのとか手伝わんといけないって、思ってはいたんだけど手伝ってあげられなかったし」

「……」

「でも、きのう康ちゃんが言っとったこと、誤解っていうか、気にしすぎっていうか、ほんとに拓二くんとどうにかって、あるわけないし、そんなん考えられんし」

「……」

「なんていうか、わたしね」

「……」

「康ちゃんが想像しとることとかって、そんなんあるわけないし」

「……」

「あのね」

「……」

「あの」

このあとの言葉はもうなにも浮かんでこなかった。そして美也子は康介が黙していることに、ついに耐えられなくなった。

美也子は今まで、康介を見ながら話していると思っていた。きちんと向き合うことがいちばん大切なことだと、頭の中で理解していたからだ。だからとにかく康介を見て、言葉を尽くそうと努めた。けれど、美也子は康介の目を見て話していたわけではなかった。

それに気づき、康介の目をしっかりと見つめた。

だがその瞬間、両腕の産毛がわずかに浮き上がるのを感じた。自分はなんて愚かだったのだろうと思った。この人はぜんぶ知っている。わたしの心の動揺も、わたしの薄っぺらい嘘も、ぜんぶ。


いったいわたしは、どこで間違ったのだろう。

二十三歳で康ちゃんに出会って、翌年、美姫が生まれて、その二年後に大輔が生まれて……美姫が幼稚園のお遊戯会で一言もセリフのない役を演じたとき、わたしはそのことに腹を立てていた。けど康ちゃんは、美姫が初めて演じる姿に、泣きながら拍手を送っていた。大輔の運動会のときもそうだ。わたしは転んで順位を落としたことに檄を飛ばしていたけれど、康ちゃんは真っ先に怪我のことを気遣っていた。――なんでだろう。なんでわたしはこうなってしまったのだろう。なんでこんなときでも、十五年前の嵐の日のことを思い出しているのだろう。なんであのときシュン兄を止めなかったパパの苦しそうな顔が浮かんでくるのだろう。あの日の雨は、記憶の中でいつも化膿した傷口みたいな匂いがした。わたしはその不快な匂いを止めたくて何度も傷口を塞ごうとしたけど、どうやって塞いでいいのかわからなくて……だからわたしはそれを忘れようと、いつも何かに逃げた。康ちゃんにも。

ひょっとして、わたし、この人を利用していたのだろうか？

美也子はまた知らないうちに、親指を掻きむしりはじめていた。さっきよりも強く爪を立てながら。

けれど美也子はそれを押さえつけるように、両手の親指を強く握りしめた。

「康ちゃん、わたし」

震えそうになりながら、美也子はしっかりと康介の目を見つめた。

「わたし、ちゃんとやっていきたいんです」

そう言うと、美也子は両方の手で顔を覆った。

——利用したのではない。わたしはこの人と家族になろうとしたのだ。

康介の目の奥をもう一度覗いたとき、美也子はそこに自分の居場所を感じた。それはただの思い込みなのかもしれない。けれど康介の鉛(なまり)のように暗鬱(あんうつ)としていた瞳が、わずかに和らいだ気がした。

通路に連なるガラス窓から強い夏日が二人にそそぐ。さっきまで強(こわ)ばっていた康介の影が少しだけ美也子に近づいていた。

*

東日登志の遺骨は六寸の純白な陶器の壺に納められた。

六十五歳になる直前のことだった——。

火葬場をあとにした麟太郎たちはマイクロバスを途中で降り、日向橋まで真っ直ぐに伸びる一本道を歩いていた。

提案したのはシュンで、ここから歩いて帰らないか、とだけ言うと、直斗を連れて車を降りた。麟太郎と美也子もその意味を理解し、シュンと共に降りた。

まだ今日を終わりにするには勿体なかったのだ。

アキコも遺骨を持ったまま車を降り、康介と子供たちもそれに続いた。奥の席で洋一が呆れた声で見送ったが、どこか笑っているようだった。そしてエンジンをかけ、再びマイクロバスが動き出そうとしたとき、井住も慌てて車から飛び出し、麟太郎たちに加わった。

夏の日差しの中、遺影を持った麟太郎を先頭に、東家の短い列が移動する。

進行方向と逆側には、遠く、父のセメント工場が見えた。

さっき通ったばかりの道だったが、歩いてみると車の中では気づけなかった夏の芽吹きを、間近に感じることができた。

まだ未熟な稲が広がる水田に、ゆるやかな波紋が広がる。目を凝らすと、親指くらいの蛙が心地よいリズムで跳ねている。もしかすると昨晩の雨上がりに謳っていた、コーラス隊の一員なのかもしれないと麟太郎は思った。

蛙を見つけると、子供たちはわけもなく笑い、しゃがみ込む。しばらく眺めるとそれにも飽きて、あらぬ方向に向かって駆け出しはじめる。

そんな風に無意味な寄り道を楽しみながら、短い列は一本道を移動した。

「そういえば、日登志さんが山に登る前日に、ボク、日登志さんと二人で飲んどったんです」

井住が遺骨を持って歩くアキコに話しかけた。

「あら、そうなの」とアキコが笑った。

「あのとき、なんか顔色も良くなくて口数も少なかったんです。ただ帰る間際だか、もうだいぶ酒も回ってきた頃に、独り言みたいに、懐かしいなぁって呟いてて……」

「懐かしい？」

先頭を歩く麟太郎が、割って入った。

「そうなんです。だってね、いつもだと、まず手なんて付けないキノコのお浸し食べながら、懐かしいって。ぜったい変でしょ」

「キノコ、ですか」

「ええ、キノコ」と井住が頷く。「だってほら、日登志さんってやたら好き嫌い多かったじゃないですか。一緒に飲みに行ったら、大概ボクの皿の中に嫌いな食いものポイポイ放ってきて――」

そう言いながら困ったように笑い、

「ほら。昨日のピザに乗っとったしめじとかも、あれまた、なんで？」

「なんでって、たしかシュン兄が」

「そうそう。おれが好きって言ったら、いつも入れてたよな」

「あれぇ？　たしかキノコはぜんぶ駄目だったはずやけど。すき焼きに入っとった椎茸とか、もう完全にアウトだし」

麟太郎は困惑した。

隣のシュンも、後ろを歩く美也子も同じだった。

「あとは」と井住は続けた。「魚も基本食べれんかったし、シーチキンですら、あれは魚だ、って頑固に言い張ってたくらいだから」

そこまで言ったところでアキコが急に笑いはじめた。

美也子が驚きながら振り向く。

「え、なに。お母さん知っとったの？」

「さあ」

アキコはとぼけるような顔で話をはぐらかすが、どうにも笑いがおさまらず、ついには吹き出すように声をあげて笑った。

それを見て、シュンが肩をすくめ、

「えー、じゃあ俺ら、完全に騙されてたわけだ」と言った。

麟太郎も美也子も、呆れたように母の顔を見た。

「だって親父、魚旨そうに食ってたじゃん」

「そうね」とアキコは答える。

「山でシュン兄とピザばっかり食べとったろ、キノコ入りの？」

「そうよねぇ」とまたアキコが答えた。

母の柳のようなかわしっぷりに、三人はおもわず吹き出してしまった。

会話にとり残された井住が、「なになに、なんの話？」と尋ねるが「ああ、いいのいいの、こっちの話やから」と美也子もそれを受け流した。

「ちょっとぉ……やめてよね、のけ者とか」

困惑する井住を不憫(ふびん)に思い、またみんな笑った。

決して器用とはいえなかった父が、新たな家族をつくるときに自分に課したことが「好き嫌いを言わないこと」だったという、なんとも憎めない事実が、子供たちには微笑ましかった。

そして、あらためて父親の様々な表情を思い浮かべるのだった。

「じゃあさ井住さん、親父って、なにが好きだったの？」とシュンが言った。

「ああ、それはねぇ――」

得意げに井住が答えようとしたとき、麟太郎が遺影を抱えたまま立ち止まった。

「どうしたの、麟太郎くん」

「あ、いや」

バツのわるそうな表情のまま、日向橋のバス停の方を見ている。

隣を歩く美也子が弟の視線をたどると、バス停の横で枝を張った、桜の木の下に一人、喪服をまとった女性の姿があった。

「ふうん。彼女だ」

固まる弟を見て笑うと、彼女に会釈し、軽やかにいつもの橋へ向かう。

みんな、美也子に続くように歩みを進める。そして最後にアキコが深くお辞儀すると、麟太郎だけをそっとその場に残し、静やかな足取りで立ち去っていった。


夏風が桜の枝を揺らした。

百歳を超える大樹の根元に、誰が置いたのか、紙ごしらえの風車が一本回っている。おそらく祭りのときに買ったものを子供が置いていったのだろう。風車はからからと風を音に変えていた。

麟太郎は理恵の元に歩いた。そして向き合うように立った。

「あの」

口の中がやけに渇く。何か言わねばと気ばかりが焦った。

「なんか、ごめんね……」

口走ったのは随分と幼稚な言葉だった。

理恵の表情が小さくゆがみ、口元が動いた。けれど言葉をのみ込み、唇を噛むと、右手が麟太郎の頬をぴしゃりとはたいた。そのあとは糸が切れたように脱力し、理恵は顔を伏せながら両肩を震わせた。

木の根元で風車はまだ、回り続けている。

麟太郎は彼女の背中をそっとさすった。そして対岸へ渡った家族の話し声に導かれるように、午後の陽がさし込む日向橋の上を、理恵と二人、ゆっくりと歩いていった。

*

フレームの中におさまっていたのは、東家の玄関先に立つ親族の姿だった。

麟太郎は三脚に据えたカメラのファインダーを覗き込みながら、ばらばらに並ぶ親族たちの立ち位置を探している。

「ねえ美姫ちゃん、もうちょっとお母さんのそばに寄ってよ」

子供たちに語りかけると、案外素直にその場所に動く。

伯父たちも自然と笑いながらこちらを見る。カメラを覗くことは、被写体から覗かれることなのかもしれない。そこには会話があった。そんな風に感じたことは今までなかったけれど、レンズを備え付けたこの装置には、どうやら雄弁な会話を媒介する力があるようだった。

何でこんな簡単なことに気づかなかったのだろう。と麟太郎は思った。

「あんたなに、ニヤニヤしとるんね」

フレームの中で美也子が叫ぶ。

「いや、なにが?」

「のぞきながら、ニヤニヤしとるんよ、さっきから」

全然気づかなかった。でもたしかに笑っていたのかもしれない。今、麟太郎は久しぶりに父からカメラを借りたときと同じ高揚感を味わっていた。

「ほら、あんたもそんな端っこにおらんで、こっちに来んね」

善男が親族から離れた場所に立つ理恵を、手招きした。

「あの、私、大丈夫なので」

「なに言っとるんね、こっちおいで。なあ、麟太郎くん」

麟太郎はこくりと頷き、目で理恵に合図を送った。理恵は申し訳なさそうに親族の輪の中に足を踏み入れ、フレームの中に身を置いた。

「じゃあ、撮りますよ」

掛け声をかけ、麟太郎はシャッターを切った。

カメラの枠が赤く点滅している。

麟太郎は慌てて輪の中に加わると、理恵の横に立ちレンズを覗いた。

「十、九、八、七……」

カウントダウンの最中、麟太郎の頭にふと春山の記憶がよぎった。

あの日、同じように父も、家族の輪の中に駆け込み数字を読み上げた。その数字がゼロに近づくごとに、気持ちはレンズに凝縮されていった。

「……三、二、一」

フレームの中でみんなが笑った。そして心地よいシャッター音が響いた。

昼下がりの光は柔らかかった。

台所で麦茶をそそぎながら、アキコが食卓に座る理恵に話しかける。

「わざわざごめんなさいね。こんな遠くまで」

「いえ、そんなことないです」

並んで座る麟太郎が「田舎でしょ」と冗談めかすが、理恵は慌てて首を振った。

そんなやり取りにアキコは少し微笑み、麦茶の入ったコップを二人の前にそっと差し出した。

扉の向こうから笑い声がする。あの低い声は洋一だ。

あの人が笑うなんて珍しいなと麟太郎は思ったけれど、もしかしたらそれが普段の姿なのかもしれない。

親族の写真を撮ったあと、一通り片づけられた広間には、昨夜の荒々しかった通夜の痕跡はなく、同時に父の痕跡も少しだけ消えたような気がした。だからといって寂しさは感じなかった。

「あのこれ、渡しそびれてしまって」

理恵が紙袋から何かを取り出す。それは風呂敷につつまれた箱で、理恵が丁寧に蓋を開けると、中には形のよいおはぎが綺麗に詰められていた。

「お口に合うといいのですが」

理恵が言うと、向かいに座ったアキコがなぜか驚いた顔をした。

「おはぎ、理恵が作ったの？」

「うん。いちお」

「へえ」

麟太郎は手を伸ばし、たっぷりの餡（あん）に覆われたおはぎを頬張った。

ちょうどそのとき引き戸が開き、井住が中に入ってきた。

「すいませんアキコさん。ボク、そろそろお暇しようと思っていて」

視線が、井住に集まる。そして麟太郎と井住の目が合った。

「そうそうそう、おはぎ！」

井住が、唐突に言った。

「なにがですか？」

「だからおはぎなんですって、日登志さんの好きな食べもの」

「え？」

麟太郎はおもわず理恵の顔を見た。

理恵は状況がのみ込めない表情をしている。

そして、母を見た。

母は二人を眺め、含みながら笑みをこぼしている。

むっ。とおはぎを口に頬張ったまま麟太郎は顔をしかめ、がほがほと咳き込んだ。

「大丈夫?」

理恵が背中をさするがまだむせている。そそがれた麦茶を流し込み、麟太郎はかろうじて呼吸を整えた。右手には食べかけのおはぎ。それを見つめながら、目を細め、もう一度隣に座る女性の顔を見た。

引き戸の向こうから、また家族たちの騒がしい声がする。

その声を体に受け止めながら、麟太郎は、夏日の差し込む食卓の、いつもの席で、彼女の作ったおはぎをもう一度頬張ってみた。

常 盤 司 郎

と き わ ・ し ろ う

福岡県生まれ。

映画、CM、ミュージックビデオの監督・脚本をはじめ、

サザンオールスターズ初のドキュメントムービーなど

様々な分野で活躍。実の父との関係を綴った短編映画

『クレイフィッシュ』(10) がShort Shorts Film Festivalで

最優秀賞と観客賞を開催初のダブル受賞。

その他、多くの短編映画が国内外で高く評価される。

『最初の晩餐』(19) が第34回高崎映画祭で

最優秀監督賞ほか最多4部門を受賞。

本作が劇場長編映画デビュー作であり、

初の小説となる。

最 初 の 晩 餐

2020年3月20日　初版第1刷発行

著者　常盤司郎

発行者：三島邦弘
発行所：ちいさいミシマ社
〒602-0861 京都市上京区新烏丸頭町164-3
電話　075(746)3438　FAX　075(746)3439
e-mail　hatena@mishimasha.com
URL　http://www.mishimasha.com/
振替　00160-1-372976

山岳指導：大森義昭
医療指導：中澤暁雄

ブックデザイン：鈴木千佳子
印刷・製本：(株)シナノ
組版：(有)エヴリ・シンク

ISBN 978-4-909394-34-7